Themen neu 2

Lehrwerk für Deutsch als Fremdsprache

Lehrerhandbuch Teil B

Vorlagen, Hinweise zu Grammatik
und Landeskunde, Tests

von
Hartmut Aufderstraße
Heiko Bock
Jutta Müller

Max Hueber Verlag

Bildquellen:
Seite 31:   Kinoarchiv Peter W. Engelmeier, Hamburg
Seite 40:   Volkswagen AG, Wolfsburg
Seite 41:   Adam Opel AG, Rüsselsheim
Seite 47/48:   R. Sennewald, Krummbek
Seite 60:   Hochzeit: Süddeutscher Verlag, Bilderdienst, München (dpa/Bajzat Istvan);
                alle anderen: dpa
Seite 62:   Bundeswappen: Bundesminister des Innern, Bonn; Länderwappen: Interfoto, München
Seite 63:   2, 9, 11: Bundesbildstelle Bonn; alle anderen: dpa
Seite 64:   dpa
Alle übrigen Fotos: MHV-Archiv (Seite: 5, 10, 19, 20, 25, 26, 28, 55, 57/58)

 Dieses Werk folgt der seit dem 1. August 1998 gültigen Rechtschreib-
reform. Ausnahmen bilden Texte, bei denen künstlerische, philologische
oder lizenzrechtliche Gründe einer Änderung entgegenstehen.

E   3.   2.   1.   Die letzten Ziffern
2004   03   02   01   00   bezeichnen Zahl und Jahr des Druckes.
Alle Drucke dieser Auflage können, da unverändert,
nebeneinander benutzt werden.
3. Auflage 2000
© 1995 Max Hueber Verlag, D-85737 Ismaning
Umschlagfoto: © Eric Bach/Superbild, München
Zeichnungen: Joachim Schuster, Baldham
DTP: Satz+Layout Peter Fruth GmbH, München
Druck und Bindung: Ludwig Auer GmbH, Donauwörth
Printed in Germany
ISBN 3-19-161522-9

Inhalt

Vorwort

Zu diesem Lehrerhandbuch

Das Lehrermaterial zu „Themen neu 2" wird in zwei Bänden angeboten:

Lehrerhandbuch Teil A
Unterrichtspraktische Hinweise, Lösungen, Transkription der Hörtexte

Der Band enthält unterrichtspraktische Hinweise zur Arbeit mit dem Kursbuch und den begleitenden Materialien. Diese Hinweise folgen konsequent den im Kursbuch vorgegebenen Unterrichtsschritten. Dadurch wird die Unterrichtsvorbereitung erheblich erleichtert.

Lehrerhandbuch Teil B
Vorlagen, Hinweise zu Grammatik und Landeskunde, Tests

Dieser Band enthält Kopiervorlagen mit unterrichtssteuernden Hilfsmitteln und Zusatzübungen sowie Erläuterungen zur Grammatik, Informationen zur Landeskunde und Tests zur Überprüfung des Leistungsstandes.

Im **Lehrerhandbuch Teil A** wird auf die erweiternden Materialien, die das **Lehrerhandbuch Teil B** anbietet, verwiesen.

Erklärung der Verweise und Abkürzungen:

→ GR	Hinweise zur Grammatik
→ LK	Hinweise zur Landeskunde
T	Tests
KT	Kursteilnehmer
KL	Kursleiter

Wie finden Sie die Personen?
Beschreiben Sie die Personen mit den Adjektiven im Kasten.

nett sympathisch ruhig dumm hässlich attraktiv
nervös unsympathisch gemütlich lustig komisch hübsch
freundlich traurig intelligent langweilig schön

Was gehört zu Bild A, was zu Bild B, was zu Bild C?

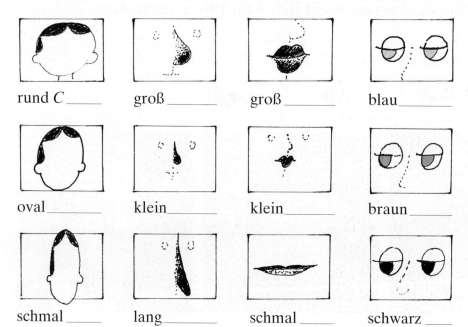

rund *C* _____ groß _____ groß _____ blau_____

oval_____ klein_____ klein_____ braun _____

schmal _____ lang_____ schmal _____ schwarz _____

Der	rund	-e	Gesicht	ist	von Bild . . .
Die	oval	-en	Nase	sind	
Das	schmal		Mund		
Die	groß		Augen		
	klein				
	lang				
	blau				
	braun				
	schwarz				

Familienbilder

Den	rund	-e	Gesicht	hat er/sie vom Vater/von
Die	oval	-en	Nase	der Mutter.
Das	schmal		Mund	
Die	groß		Augen	
	klein		Haare	
	lang		Bauch	
	blau		Hände	
	rot		Arme	
	blond		Beine	
	schwarz		Zähne	
	dünn		Ohren	
	dick			

Dumme Sprüche? Kluge Sprüche?

| Ein
Eine
– | still
voll
intelligent
bescheiden
dick
rothaarig
reich
schön
klein | -e
-er | Wasser
Mann
Frau
Männer
Leute
Bauch
Kinder | ist selten treu.
macht selten Karriere.
hat viel Temperament.
findet schwer eine Frau.
ist meistens dumm.
hat Millionen Feinde – die Männer.
sind gemütlich.
sind tief.
sind gesünder.
studiert nicht gern.
sind meistens langweilig. |

Lesen Sie den Text und ergänzen Sie die Tabelle.

vorher		nachher	
Was?	Wie?	Was?	Wie?
Haare	*lang*	*Rock*	

vorher – nachher

vorher   nachher

Vorher hatte Anke	einen	lang	-en	Frisur.
	eine	rund	-e	Jacke.
	ein	dezent	-es	Rock.
	–	dunkel		Kleidung.
		braun		Brille.
		langweilig		Haare.
		schwarz		Bluse.
		weiß		Strümpfe.

Jetzt hat sie	einen	rot	-en	Kleidung.
	eine	schwarz	-e	Strümpfe.
	ein	modisch	-es	Make-up.
	–	weich		T-Shirt.
		kurz		Kontaktlinsen.
		sportlich		Frisur.
		dezent		Rock.
				Schuhe.

Adjektivendungen

Adjektivendungen nach definitem Artikel		Adjektivendungen nach indefinitem Artikel	
Singular			
Nominativ	der klein_____ Mann	ein klein_____ Mann	
	die klein_____ Frau	eine klein_____ Frau	
	das klein_____ Kind	ein klein_____ Kind	
Akkusativ	den klein_____ Mann	einen klein_____ Mann	
	die klein_____ Frau	eine klein_____ Frau	
	das klein_____ Kind	ein klein_____ Kind	
Dativ	dem klein_____ Mann	einem klein_____ Mann	
	der klein_____ Frau	einer klein_____ Frau	
	dem klein_____ Kind	einem klein_____ Kind	
Plural			
Nominativ	die klein_____ Leute	klein_____ Leute	
Akkusativ	die klein_____ Leute	klein_____ Leute	
Dativ	den klein_____ Leuten	klein_____ Leuten	

Satzschalttafel

Wer ist	der Mann	in dem/der	blau	Bluse	und dem/den . . .
	die Frau	mit dem/der/ den	weiß	Hemd	
			rot	Hose	
			gelb	Rock	
			schwarz	Pullover	
			grün	Anzug	
				Schuhe	
				Brille	
				Haare	

Dialogübung

○ Wer ... ? Weißt ... ?

□ Welch ... ?

○ Den/Die ... in/mit ...

□ Ach ... Das ...

○ Kennst ... ?

□ Ja, er/sie ...

Satzschalttafel

Wer trägt	ein	braun	Hemd	mit einem	braun	Hemd?
	eine	blau	Pullover	einer	blau	Pullover?
	einen	rot	Hose	–	rot	Hose?
	–	weiß	Rock		weiß	Rock?
		schwarz	Kleid		schwarz	Kleid?
		gelb	Schuhe		gelb	Schuhe?
		grün	Anzug		grün	Anzug?
			Krawatte			Krawatte?
			Bluse			Bluse?
			Strümpfe			Strümpfe?

Adjektivendungen

Singular

Nominativ

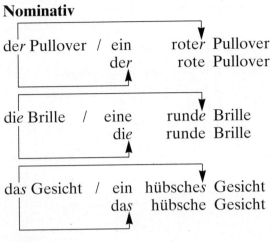

der Pullover / ein   roter Pullover
         der   rote Pullover

die Brille / eine   runde Brille
         die   runde Brille

das Gesicht / ein   hübsches Gesicht
         das   hübsche Gesicht

Akkusativ

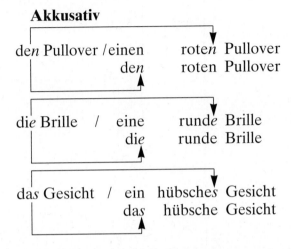

den Pullover / einen   roten Pullover
         den   roten Pullover

die Brille / eine   runde Brille
         die   runde Brille

das Gesicht / ein   hübsches Gesicht
         das   hübsche Gesicht

Dativ

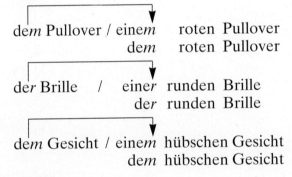

dem Pullover / einem   roten Pullover
         dem   roten Pullover

der Brille / einer   runden Brille
         der   runden Brille

dem Gesicht / einem   hübschen Gesicht
         dem   hübschen Gesicht

Plural

Nominativ/Akkusativ

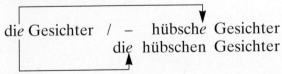

die Gesichter / –   hübsche Gesichter
         die   hübschen Gesichter

Dativ

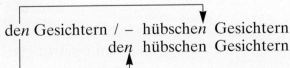

den Gesichtern / –   hübschen Gesichtern
         den   hübschen Gesichtern

Adjektivendungen

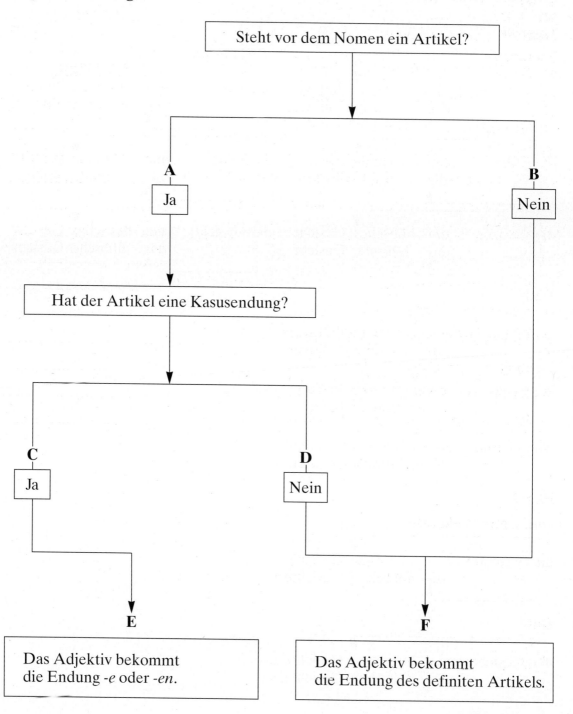

Steht vor dem Nomen ein Artikel?

A Ja

B Nein

Hat der Artikel eine Kasusendung?

C Ja

D Nein

E

Das Adjektiv bekommt
die Endung *-e* oder *-en*.

F

Das Adjektiv bekommt
die Endung des definiten Artikels.

**Ergänzen Sie die Adjektivendungen mit Hilfe des Schemas
auf Vorlage 12a.
Notieren Sie die Schritte (A, B, C, D, E, F).**

a) Das ist ein schön*er*___ Pullover. $A \longrightarrow D \longrightarrow F$ ___

b) Sie trägt einen neu___ Pullover. ___

c) Das dezent___ Make-up steht dir. ___

d) Dezent___ Make-up steht dir. ___

e) Meine schwarz___ Schuhe passen nicht zum Kleid. ___

f) Schwarz___ Schuhe passen nicht zum Kleid. ___

g) Die Bluse passt zum rot___ Rock. ___

h) Die Bluse passt zu meinem rot___ Rock. ___

i) Frau Meier ist die nett___ Frau mit der Brille. ___

j) Frau Meier ist eine nett___ Frau. ___

k) Viele jung___ Leute tragen Jeans. ___

l) Jung___ Leute tragen Jeans. ___

m) Ich möchte das kurz___ Kleid anziehen. ___

n) Ich möchte ein kurz___ Kleid anziehen. ___

Lesen Sie den Text im Kursbuch Seite 17 und notieren Sie wichtige Informationen zu den folgenden Personen:

Die Angestellten im Arbeitsamt	*geben Heinz kein . . .*
Der alte Arbeitgeber	
Die alten Kollegen	
Heinz	
Der Rechtsanwalt	
Der Vater	

Verschiedene Argumente

1 Arbeitsamt Recht; Frisur verrückt; Punk haben?;
kein Arbeitgeber

2 anderer Meinung; Aussehen nicht, sondern Leistung;
Arbeitgeber zufrieden; Arbeitsamt nicht kritisieren

3 finde nicht; nicht arbeiten; nur sagen; kein Geld; sicher sein

4 wie wissen?; kennen?; sicher verrückt, aber . . .; glaube, lügt
nicht; wirklich arbeiten

5 stimmen; selbst gekündigt; Fehler

6 sicher selbst gekündigt, aber Fehler?; möchte arbeiten;
keine Stelle; muss zahlen

7 arbeiten oder nicht egal; meinetwegen verrückt, aber kein
Geld; geht nicht

Sind sie mit ihrem Beruf zufrieden?

Eltern / Bauernhof,
Landwirt / keine Lust,
jüngerer Bruder besser,
Beruf selbst bestimmen,
Bürokaufmann,
lieber im Büro,
Arbeit / schmutzig

Florian Gansel

eigentlich Friseurin,
Ausbildung gemacht,
3 Jahre gearbeitet,
Allergie gegen Haarspray,
Verkäuferin in einem Supermarkt,
nicht selbständig,
nicht viel verdienen,
neue Stelle

Anke Vollmer

Zahnärztin / Vater Zahnarzt,
nicht studieren, Welt sehen,
Stewardess,
Reisen / interessante Menschen,
viel Spaß / anstrengend

Paula Mars

Maurer / Unfall,
keine schwere Arbeit,
Taxifahrer,
keine andere Arbeit,
nachts / Wochenende arbeiten,
nicht zufrieden / ganz gut verdienen

Werner Schmidt

Wie finden Sie diese Berufe?

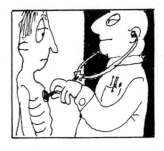

_____

_____

_____

_____

_____

_____

_____

_____

_____

Wenn . . . , dann . . .

Wenn . . .	dann . . .
den Hauptschulabschluss haben,	studieren.
den Realschulabschluss haben,	zur Grundschule gehen.
das Abitur haben,	zum Gymnasium gehen.
Grundschule zu Ende sein,	das Fachgymnasium besuchen.
6 Jahre alt sein,	eine andere Schule wählen.
das Abitur des Fachgymnasiums haben,	zur Berufsschule gehen.
das Examen der Fachhochschule haben,	das Abitur machen.
das Gymnasium besuchen,	eine Lehre machen.
eine Lehre machen,	die Gesamtschule besuchen.
in der Grundschule ein guter Schüler war,	. . .
. . .	

Ergänzen Sie.

Immer mehr Hochschulabsolventen _____ nach dem _____ keine

Arbeit. _____ 10 Jahren, so _____ das Arbeitsamt, _____ es

für 3,1 _____ Hochschulabsolventen nur 900.000 _____ Stellen.

Die Studenten _____ das natürlich

_____ die meisten _____ ihre Zukunft

_____ sehr optimistisch.

_____ studieren sie _____.

„Was soll _____ denn sonst

_____?", fragt die Kieler

Germanistikstudentin Conny Ahrens.

_____ macht das _____ wenig Spaß,

_____ der Konkurrenzkampf _____

schon in _____ Uni beginnt.

„Was soll ich denn sonst machen?"
Conny Ahrens, 21, 4. _____,
studiert Germanistik _____ Kiel

Für andere _____ wie Konrad

Dehler (23) _____ das kein _____:

„Auch an _____ Uni muss _____

kämpfen. Man _____ besser sein _____

die anderen, _____ findet man

_____ eine Stelle." Zukunftsangst

_____ er nicht: „_____ werde nicht

_____, ich schaffe _____ bestimmt."

„Ich werde nicht arbeitslos,
ich schaffe es bestimmt."
Konrad Dehler, 23,
6. Semester, _____
Wirtschaft an der _____
Göttingen

25

Vera Röder (27) hat _____ noch nicht _____. Sie hat _____ der Universität Köln Psychologie _____.

Obwohl sie _____ gutes Examen _____ hat, ist _____ immer _____ arbeitslos. „Ich _____ schon 20 _____ geschrieben, aber _____ war die _____ negativ.

Man _____ vor allem

„Ich habe schon 20 Bewerbungen geschrieben, aber immer war die Antwort negativ."

Vera Röder, 27, _____ Diplom-Psychologin und _____ eine Stelle.

_____ mit Berufserfahrung _____ die habe _____ noch nicht."

_____ sie schon 27 _____ alt ist, _____ sie immer _____ bei ihren _____. Eine eigene _____ ist ihr zu _____. Denn vom Arbeitsamt _____ sie kein _____, weil sie noch _____ eine Stelle _____. Das Arbeitsamt _____ ihr auch keine _____ anbieten. Vera _____ nicht, was _____ machen soll. _____ arbeitet zur Zeit 20 _____ pro Woche _____ einem Kindergarten. „_____ Arbeit dort _____ ganz interessant, _____ mein Traumjob _____ das nicht. _____ ich in drei _____ noch keine _____ habe, dann _____ ich wieder _____ Uni und schreibe _____ Doktorarbeit." Aber auch _____ Akademiker mit _____ Doktortitel ist _____ Stellensuche nicht _____ einfacher.

Ergänzen Sie *aber, dann, trotzdem, denn* oder *und*.

a) Die Studenten wissen das natürlich _____die meisten sehen ihre Zu-

 kunft nicht sehr optimistisch. _____studieren sie weiter.

b) Man muss besser sein als die anderen, _____findet man schon eine
 Stelle.

c) Die Arbeit dort ist ganz interessant, _____mein Traumjob ist das

 nicht. (. . . , _____ das ist nicht mein Traumjob.)

d) Eine eigene Wohnung ist ihr zu teuer. _____vom Arbeitsamt

 bekommt sie kein Geld. (_____sie bekommt vom Arbeitsamt kein
 Geld.)

Ergänzen Sie *oder, sonst, also* oder *deshalb*.

e) Man muss besser sein als die anderen, _____bekommt man keine
 Stelle.

f) Vera Röder braucht Geld, _____arbeitet sie im Kindergarten.

g) Viele Akademiker sind arbeitslos _____sie arbeiten in fremden
 Berufen.

h) Vera hat noch nie gearbeitet, _____bekommt sie vom Arbeitsamt
 kein Geld.

Ergänzen Sie.

Stellenangebote

ALKO-DATALINE

_____ eine Sekretärin _____ die Rechnungsabteilung

Wir

– _____ ein Betrieb _____ Elektronikindustrie

– arbeiten _____ Unternehmen im _____ __zusammen

– bieten _____ ein gutes _____, Urlaubsgeld, 30 Tage _____, Betriebskantine,

_____

Karrierechancen

– versprechen _____ einen interessanten _____ mit Zukunft, _____ nicht immer _____ 5-Tage-Woche.

Sie

– _____ ca. 25 bis 30 _____ alt und _____ dynamische Persönlichkeit

– _____ perfekt Englisch

– _____ gern im Team

– _____ Probleme selbständig

– _____ in Ihrem _____ vorwärtskommen.

_____ Sie unseren _____ Waltemode unter _____ Nummer 200356 an, _____ schicken Sie _____ Ihre _____.

ALKO-DATALINE
Industriestraße 27, 63073 Offenbach

28

Unser _____ wird immer _____. Unsere _____

Geschäftskontakte werden immer _____. Deshalb brauchen _____

eine zweite

Chefsekretärin

_____ guten Sprachkenntnissen _____ Englisch und Spanisch.

_____ mit Ihrer _____ arbeiten Sie direkt _____ den

Chef _____ Unternehmens. Sie bereiten _____ vor, sprechen

_____ Kunden aus _____ In- und Ausland, _____ Messen,

schreiben _____, mit einem _____ : Auf Sie _____ ein

interessanter _____ in angenehmer Arbeitsatmosphäre. _____

bieten wir _____ : 13. Monatsgehalt, Betriebsrente, _____,

Tennisplatz, Schwimmbad.

Böske & CO. Automatenbau
Görickestraße 13, 64297 Darmstadt

Wir sind _____ Möbelunternehmen mit 34 _____ in ganz Deutschland.

_____ unseren Verkaufsdirektor _____ wir dringend _____

Chefsekretärin

mit _____ Jahren Berufserfahrung. _____ bieten einen _____

und sicheren _____ mit sympathischen _____, gutem

Betriebsklima _____ besten Sozialleistungen. _____ Sie ca. 30–35

_____ alt sind, _____ Schreibmaschine schreiben,

_____ und allein _____ können, bewerben _____ sich bei:

Baumhaus KG
Postfach 77, 63454 Hanau am Main
Telefon (0 61 81) 3 60 22 39

→ **GR 9**

Beispielsätze

ich verdiene dann viel Geld

ich verstehe dann alle Sprachen

der Beruf ist ganz wichtig

ich muss dann nicht ins Bett gehen

ich habe dann viele Tiere

ich habe dann schöne Kleider

weil   weil   weil   weil   weil   weil

→ **GR 12**

Angabewörter

also haben viele Studenten Zukunftsangst

daher haben viele Studenten Zukunftsangst

deshalb haben viele Studenten Zukunftsangst

sonst haben viele Studenten Zukunftsangst

trotzdem haben viele Studenten Zukunftsangst

Konjunktoren

und viele Studenten haben Zukunftsangst

aber viele Studenten haben Zukunftsangst

denn viele Studenten haben Zukunftsangst

oder viele Studenten haben Zukunftsangst

Beschreiben Sie den Film.

22.20 Uhr ***Die Dinge des Lebens***
RTL *Dreiecksgeschichte mit Romy Schneider und Michel Piccoli*

Pierre / zwischen zwei Frauen stehen / Frau Catherine / Geliebte Hélène

Streit mit Hélène / Pierre / Abschiedsbrief / wegfahren

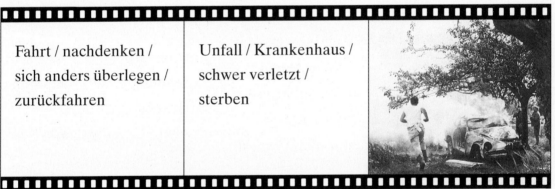

Fahrt / nachdenken / sich anders überlegen / zurückfahren

Unfall / Krankenhaus / schwer verletzt / sterben

nachdenken / sich erinnern / zwei Stunden vor dem Tod / scheinbar wichtige und unwichtige Dinge

Film / Erinnerungen / zeigen / erzählen / Dreiecksgeschichte zwischen Hélène, Catherine und Pierre

Film / wunderschön / nie kitschig / obwohl Liebesgeschichte

Ergänzen Sie die Texte.

Miranda, ZDF, 23. Mai, 22.55 Uhr. Peter Lindner diskutiert mit seinen Gästen über das Thema: „Keine Zukunft für das Auto?"

Wenn _____ abends _____

Hause _____, freue _____

mich _____ das _____.

Dann _____ ich _____

Unterhaltung _____ und

_____ billigen

_____.

*Kurt Förster,
Iserlohn*

_____ Moderator _____ schlecht,

_____ Sendung _____ langweilig,

_____ Themen _____

uninteressant. _____ ärgere

_____ über _____

Sendung.

*Beate Kanter,
Stralsund*

Miranda _____ uns _____

gut.

_____ freuen _____ auf

_____ nächste _____.

*Uwe und Ute Kern,
Oberhof*

In _____ Sendung _____ der

_____. Über _____ langweiligen

_____ kann _____ mich

_____ aufregen.

Rainer Kock,
Nürnberg

Die _____ Talkshows _____

langweilig, _____ Miranda

_____ ich _____. Besonders

_____ mich _____

politischen _____.

Karin Langer,
Aachen

Herzlichen _____! Endlich

_____ interessante _____.

Besonders _____ ich _____

über _____ späte _____, weil

_____ abends _____ lange

_____ muss.

Clemens Buchner,
Hainburg

_____ interessiere _____ sehr

_____ Talkshows, _____ nicht

_____ um _____ Uhr.

_____ „Miranda" _____ Sendung

_____ Arbeitslose _____ Studenten?

Hubert Hessler,
Bad Salza

a) Sie sind Frau Baumgart.
  Schreiben Sie einen Brief an Frau Dr. Semmler.

Hilde Baumgart   Schopenhauerstraße 34
                                                 07548 Gera
Radio FFT   Tel.: 03 65/76 58 92
Frau Dr. Semmler

Theaterwall 12
99084 Erfurt
                                                      Gera, den . . .

Sehr geehrte Frau Dr. Semmler,

gern Sendung hören / schreiben / weil großes Problem / vielleicht helfen

Führerschein machen / gern fahren / Mann / Auto nicht geben

Auto nicht brauchen / nur am Wochenende fahren / Montag bis Freitag in Garage

gern in die Stadt fahren / einkaufen

Mann / Angst / Auto kaputt fahren

Was tun?

b) Sie sind Frau Dr. Semmler.
  Schreiben Sie einen Antwortbrief an Frau Baumgart.

danken / für Brief

viele Frauen / dieses Problem

Mann / abends / einmal ruhig und vernünftig sprechen / Problem

nett sein / Mann / Recht haben / noch nicht fahren können / guter Fahrer / fragen / helfen

Mann / zum Fahrlehrer machen / mit Mann fahren / um Rat und Hilfe bitten

Mann / gefallen

aber / Zeit lassen / bestimmt alleine fahren lassen

vielleicht / helfen / dieser Rat

Ordnen Sie die Teile des Briefes.

A Was würden Sie machen, wenn Sie hundertmal das gleiche Lied hören
müssten?
Haben wir Geschäftsleute denn keine Rechte?

B Kann die Stadt nicht endlich etwas gegen diesen Musikterror tun?
Ich habe über dieses Problem auch schon mit vielen anderen Geschäftsleuten
in der Fußgängerzone gesprochen. Sie sind alle meiner Meinung: Die Stadt
muss etwas tun!

C Jetzt im Sommer ist es besonders schlimm. Meine Frau und ich müssen uns von
morgens bis abends die gleichen Lieder anhören.

D Ich bitte Sie deshalb dringend:
Verbieten Sie die Straßenmusik in der Fußgängerzone!

E Früher habe ich oft die Eingangstür meines Geschäfts offen gelassen, aber das
ist jetzt gar nicht mehr möglich. Man versteht oft sein eigenes Wort nicht mehr.
Außerdem stellen die Musiker sich genau vor den Eingang meines Ladens.

F Auch unsere Kunden beschweren sich darüber. Ich habe nichts gegen die
jungen Leute – sie wollen sich mit der Musik ein bisschen Geld verdienen; das
verstehe ich. Aber muss es ausgerechnet vor meinem Laden sein?

G Vor meinem Käse-Spezialitäten-Geschäft in der Fußgängerzone machen fast
jeden Tag junge Leute Musik. Ich habe nichts gegen Musik, aber manchmal
kann ich meine Kunden kaum verstehen, weil die Musik so laut ist.

H Seit einigen Monaten kommen sogar Musikgruppen mit elektronischen
Verstärkern und Lautsprechern. Man kann es nicht mehr aushalten!

I Ich habe schon oft mit den „Straßenkünstlern" vor meiner Ladentür geredet,
aber es nützt nichts. Erst heute hat einer zu mir gesagt: „Was wollen Sie denn?
Haben Sie die Straße gekauft?"

Schreiben Sie einen Antwortbrief an Herrn Kornfeld.

Stadt Trier   Am Augustinerhof
Amt für öffentliche Ordnung   54290 Trier
                                                 Tel.: 06 51 / 5 78-3 46
                                                 Sachbearbeiter(in):
                                                 Frau Deister
Herrn/Frau/Firma   Zimmer Nr. 303
Gerd Kornfeld
Obere Gasse 11
54290 Trier   Trier, den ...

Sehr geehrter Herr Kornfeld,

vielen Dank / für Brief

verstehen / Problem / auch / andere Geschäftsleute / sich beschweren / über
Straßenmusikanten

eigentlich / spielen / nur mit Erlaubnis

dürfen nicht stören / andere Leute / keine laute Musik / nicht vor
Geschäftseingängen

trotzdem / viele / ohne Erlaubnis / vor Geschäftseingängen

kontrollieren / aber / sehr schwierig

Straßenmusikanten ohne Erlaubnis / Polizei / verbieten / Musik machen / aber /
kommen immer wieder

empfehlen Ihnen / Musikanten / nach Erlaubnis fragen

wenn / keine Erlaubnis / Polizei rufen / helfen

Mit freundlichen Grüßen

Autoteile

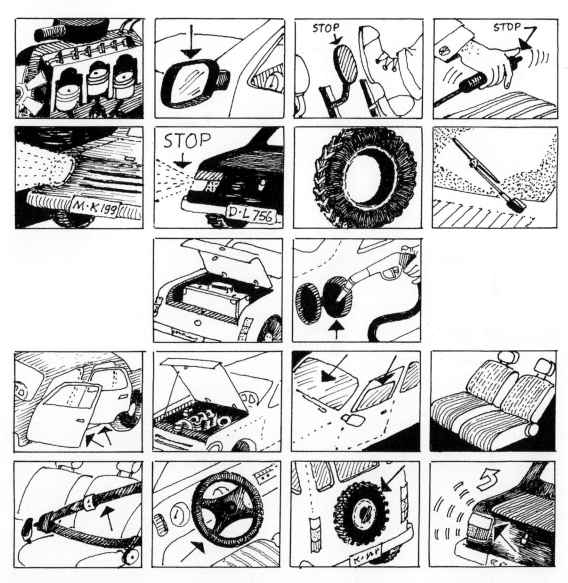

Motor	Reifen	Scheiben
Spiegel	Scheibenwischer	Sitze
Fußbremse	Kofferraum	Sicherheitsgurte
Handbremse	Tank	Lenkrad
Fahrlicht	Türen	Reserverad
Bremslicht	Kühlerhaube	Blinklicht

Dialogübung

☐ Guten Tag, ...
   ... Termin.

○ Was können ... ?

☐ Der/die/das ... | läuft nicht.
                   geht nicht.
                   funktioniert nicht.
                   klemmt.
                   zieht nach ...
                   verliert ...
                   ist kaputt.
                   ist zu hoch.

○ Gut. Das schauen wir ...
   Sonst ...?

   Nein, das ist ...
☐ Ja, da ist noch ...
   Können Sie auch ... | anschauen?
                      reparieren?
                      wechseln?

○ In Ordnung. Das ...

   Wann ... | abholen?
☐   fertig?
   Wie lange ...?

	Heute	Nachmittag
○	Morgen	Abend
	Übermorgen	um ... Uhr

   Was? Wie bitte?
☐ Am ... erst?
   So lange ...?
   Können Sie ..., wenn der Wagen ...?

○ ...

Schreiben Sie einen Beschwerdebrief an die Autowerkstatt.

(Name, Vorname)   *(Straße)*
                                                                     (Postleitzahl, Ort)
                                                                     (Telefonnummer)

Firma
Sepp Faistenhammer & Sohn
Kraus-Str. 1

D-85737 Ismaning   *(Ort)*, den ...

Sehr geehrte Damen und Herren,

vorgestern / Auto zur Reparatur bringen / Bremsen reparieren

heute / Wagen abholen

Firma / auch Handbremse repariert

nicht gesagt, dass Sie das machen sollen

diese Reparatur / € 51,40 extra kosten

sich darüber ärgern

Reparatur für Handbremse nicht bezahlen

Mit freundlichen Grüßen

Ordnen Sie die Texte den Fotos zu.

A
Jetzt werden die Karosserien lackiert.
Jede Karosserie wird mehrere Male
gespritzt. So wird sie gegen Rost
geschützt.

B
... und dann – vom eigenen Bahnhof
aus – zu den Käufern geschickt.

C
Zuerst wird das Blech automatisch
geschnitten, dann werden daraus die
Karosserieteile gepresst: Dächer,
Böden, Seitenteile usw.

D
Sehr früh morgens werden
Montageteile und Material mit Zügen
und Lastwagen nach Wolfsburg
gebracht. Das Blech für die
Autokarosserien kommt mit der Bahn.

E
Danach werden die Blechteile
zusammengeschweißt. Schwere Arbeit
wird von Robotern gemacht.

F
Dann wird das Auto fertig montiert:
Motor, Räder, Sitze usw. Die Autos
werden noch einmal geprüft. . . .

1

2

3

4

5

6

Bringen Sie die Fotos in die richtige Reihenfolge.

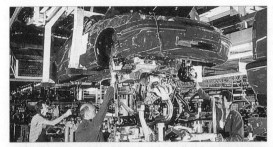

A

B

C

D

E

Was macht Barbara?

Die beste Lösung für Barbara

Er findet mich zu dick – _____
_____
_____

Er mag keine Zigaretten – _____
_____
_____

Er findet mich zu nervös – _____
_____
_____

Er liebt Pünktlichkeit – _____
_____
_____

Er findet mich langweilig – _____
_____
_____

Er findet mich unfreundlich – _____
_____
_____

Er sagt, ich arbeite zuviel – _____
_____
_____

Er will mich ganz anders – _____
_____
_____

Schreiben oder spielen Sie ein ähnliches Gespräch wie zwischen Wolfgang und Carola.

Carola   Wolfgang

○ warum? / spät / 9 Uhr

□ Kollege / Geburtstag / feiern

○ nicht anrufen? / warten

□ nicht wahr / angerufen / besetzt / zwei Stunden telefoniert

○ nein / nicht so lange

□ mit wem?

○ Schwester

□ schon wieder / Gisela / Budapest / Telefonrechnung

○ verbieten?

□ nein / zu oft / lange / teuer / letzten Monat 100 Euro / selten zu Hause telefonieren

○ stimmt / selten zu Hause sein / jeden Abend später

□ nicht stimmen

○ doch / am Wochenende / fernsehen / mit wem unterhalten? / nicht mit mir sprechen

□ Also Carola, ...

Dialogübung

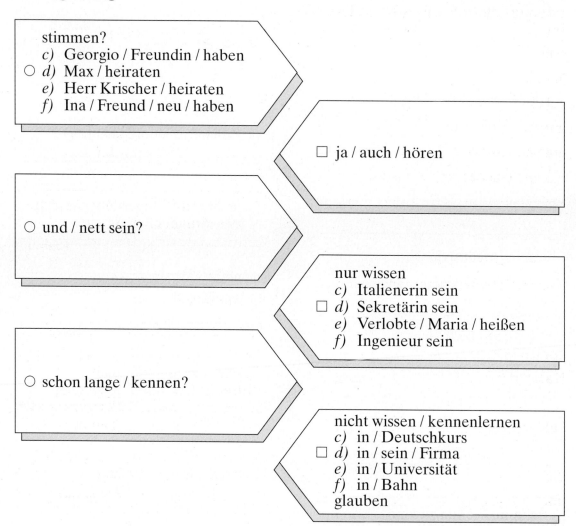

stimmen?
- *c)* Georgio / Freundin / haben
- ○ *d)* Max / heiraten
- *e)* Herr Krischer / heiraten
- *f)* Ina / Freund / neu / haben

□ ja / auch / hören

○ und / nett sein?

nur wissen
- *c)* Italienerin sein
- □ *d)* Sekretärin sein
- *e)* Verlobte / Maria / heißen
- *f)* Ingenieur sein

○ schon lange / kennen?

nicht wissen / kennenlernen
- *c)* in / Deutschkurs
- □ *d)* in / sein / Firma
- *e)* in / Universität
- *f)* in / Bahn
glauben

Ergänzen Sie die Texte.

Im _____ ist _____

schön, _____ wir _____

abends _____ den _____

gehen. _____ grillen _____

immer _____ mein _____

macht ganz _____ Salate

_____ Saucen.

Nicola, 9 Jahre

_____ uns_____ es

_____ immer

_____ . Mein _____

kontrolliert _____

Hausaufgaben _____ regt

_____ über _____

Fehler _____ . Meine

_____ schimpft _____

die _____

im _____ .

Dann _____ es _____

über _____ Fernsehprogramm.

_____ Vater _____

Politik _____ und

_____ Mutter

_____ Spielfilm. _____

ist _____ jeden _____ .

Heike, 11 Jahre

_____ uns_____ jeder

_____ etwas _____ .

Ich _____ mit _____

Eltern _____ , meine

_____ möchte

_____ mit _____

Vater _____ , und

_____ Vater _____ die

_____ sehen.

_____ gibt _____ immer

_____ .

Holger, 11 Jahre

Mein _____ will

_____ immer _____

seine _____ haben.

_____ wir _____

Kinderzimmer _____ laut

_____ , sagt _____ immer:

„_____ ihr _____

still _____ ihr _____

gleich _____ Bett!"

Susi, 8 Jahre

45

Ich _____ abends

_____ mit _____

Eltern _____. Mutter

_____ dann _____:

„Ich _____ noch

_____" oder

„_____ fühle _____ nicht

_____". Und _____

will _____.

Sven-Oliver, 8 Jahre

Meine _____ möchte

_____ manchmal

_____, ins _____

oder _____, aber _____ Vater

_____ immer _____. Oft

_____ meine

_____ dann, _____

mein _____ sagt:

„_____ ich _____ der

_____ nicht

_____ Ärger?"

Frank, 10 Jahre

_____ uns _____ es

_____ immer _____

gemütlich. _____ Mutter

_____ ein schönes

_____ und

_____ Vater _____

ich _____ mit _____

Hund _____. Nach

_____ Essen _____ ich

_____ eine _____

Stunde _____.

Petra, 9 Jahre

_____ mein _____

abends _____ sieben _____

nach _____ kommt, _____ er

_____ kaputt. _____ dem

_____ holt _____ sich

_____ Flasche _____ aus

_____ Kühlschrank

_____ setzt _____ vor

_____ Fernseher.

_____ Mutter

_____ dann _____:

„Warum _____ ich dich

_____ geheiratet?"

Brigitte, 10 Jahre

46

Ordnen Sie die Textteile.

Mit 30 hatte sie schon sechs Kinder

A Als sie zwei Jahre alt war, starb ihr Vater. Ihre Mutter vergaß ihren Mann nie und dachte mehr an ihn als an ihre Tochter. Maria war deshalb sehr oft allein, aber das konnte sie natürlich mit zwei Jahren noch nicht verstehen.

B Maria ist sehr zufrieden – viele alte Leute bekommen nur selten Besuch. Marias Jugendzeit war sehr hart. Eigentlich hatte sie nie richtige Eltern.

C Ihre Mutter starb, als sie 14 Jahre alt war. Maria lebte dann bei ihrem Großvater. Mit 17 Jahren heiratete sie, das war damals normal. Ihr erstes Kind, Adele, bekam sie, als sie 19 war. Mit 30 hatte sie schließlich sechs Kinder.

D Maria lebt in einem Altersheim. Trotzdem ist sie nicht allein, eine Tochter oder ein Enkelkind ist immer da, isst mit ihr und bleibt, bis sie im Bett liegt.

Sie wurde nur von Kindermädchen erzogen

A Als sie 15 Jahre alt war, kam Adele in eine Mädchenschule. Dort blieb sie bis zur mittleren Reife. Dann lernte sie Kinderschwester. Aber eigentlich fand sie es nicht so wichtig einen Beruf zu lernen, denn sie wollte auf jeden Fall lieber heiraten und eine Familie haben.

B Auf Kinder freute sie sich besonders. Die wollte sie dann aber freier erziehen, als sie selber erzogen worden war, denn an ihre eigene Kindheit dachte sie schon damals nicht so gern zurück.

C Mit ihren Eltern konnte sich Adele nie richtig unterhalten, sie waren ihr immer etwas fremd. Was sie sagten, mussten die Kinder unbedingt tun. Wenn zum Beispiel die Mutter nachmittags schlief, durften die Kinder nicht laut sein und spielen. Manchmal gab es auch Ohrfeigen.

D Adele lebte als Kind in einem gutbürgerlichen Elternhaus. Wirtschaftliche Sorgen kannte die Familie nicht.

E Nicht die Eltern, sondern ein Kindermädchen erzog die Kinder. Sie hatten auch einen Privatlehrer.

Das Wort der Eltern war Gesetz

A Deshalb versucht sie jetzt mit 50 Jahren selbständiger zu sein und mehr an sich selbst zu denken. Aber weil Ingeborg das früher nicht gelernt hat, ist das für sie natürlich nicht leicht.

B Ingeborg hatte ein wärmeres und freundlicheres Elternhaus als ihre Mutter Adele. Auch in den Kriegsjahren fühlte sich Ingeborg bei ihren Eltern sehr sicher.

C Aber trotzdem, auch für sie war das Wort der Eltern Gesetz. Wenn zum Beispiel Besuch im Haus war, dann mussten die Kinder gewöhnlich in ihrem Zimmer bleiben und ganz ruhig sein. Am Tisch durften sie nur dann sprechen, wenn man sie etwas fragte.

D Die Eltern haben Ingeborg immer den Weg gezeigt. Selbst hat sie nie Wünsche gehabt. Auch in ihrer Ehe war das so. Heute kritisiert sie das.

Der erste Rebell in der Familie

A Mit 17 bekam sie ein Kind. Das fanden alle viel zu früh. Den Mann wollte sie nicht heiraten. Trotzdem blieb sie mit dem Kind nicht allein.

B Noch während der Schulzeit zog sie deshalb zu Hause aus. Ihre Eltern konnten das am Anfang nur schwer verstehen.

C Ihre Mutter, aber auch ihre Großmutter halfen ihr. Beide konnten Ulrike sehr gut verstehen. Denn auch sie wollten in ihrer Jugend eigentlich anders leben als ihre Eltern, konnten es aber nicht.

D Ulrike wollte schon früh anders leben als ihre Eltern. Für sie war es nicht mehr normal immer nur das zu tun, was die Eltern sagten.

Deutschlandkarte

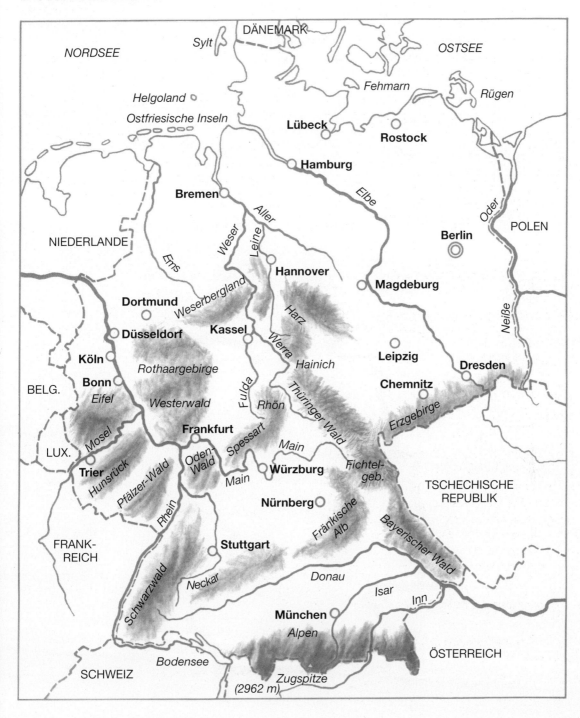

Was steht im Text über das Klima in Deutschland?

	Norden	Osten	Süden
Sommer			
Winter			

Was steht im Text über die Landschaften in Deutschland?

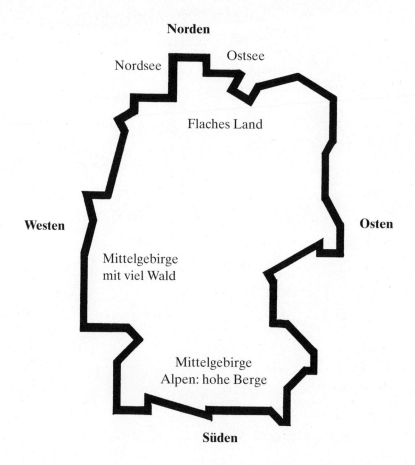

Ergänzen Sie.

Problem Nr. 1: Die Menge

Wir _____ in _____ pro _____ 30 _____

Tonnen _____ auf _____ Müll. _____ man _____

einen _____ füllen _____, hätte _____ eine _____

von 12.500 km – _____ wäre _____ Strecke _____ hier _____

Zentralafrika. _____ ersticken _____ Müll: _____ Mülldeponien

_____ voll; _____ Müllverbrennungsanlagen _____

24 Stunden _____ Tag. Dabei _____ es _____ Beispiele, _____

wir _____ sinnlos _____ produzieren. _____ wir

_____ Bier _____ Limonade _____ Dosen _____? Brauchen

_____ bei _____ Einkauf _____ Plastiktüten? _____ es

_____, Käse, _____ und _____ nicht _____

Verpackung _____ kaufen?

Machen Sie mit: Kaufen Sie bewusst ein!

Problem Nr. 2: Die Verschwendung

Ein _____ Teil der _____, die _____ auf _____ Müll

_____, wurde _____ produziert. _____ kostet

_____, Energie _____ Rohstoffe. Dabei _____ es

_____ Beispiel _____ Glas, _____ und _____ eine

_____ bessere _____, nämlich _____ Recycling. _____ diesem

„_____" können _____ neue _____ aus _____,

Papier _____ Blech _____ werden, _____ man _____

getrennt _____. Auch _____ (fast 50 % _____ Mülls!)

_____ eigentlich _____ zu _____ für _____ Deponie.

_____ Kompostierung _____ man _____ gute

_____ machen.

Machen Sie mit: Sortieren Sie Ihren Müll!

Problem Nr. 3: Die Gefahr

Auch _____ ist im _____, den _____ täglich _____:

Batterien, _____, Kunststoff, _____ mit _____ und

_____, Medikamente, _____, Putzmittel . . . Eine

_____ Mischung, _____ die _____ Reaktionen

_____ Müllcocktails _____ man nicht _____. Die

_____, die _____ ein _____ des

_____ verbrennen, haben _____ Filter. _____ diese

_____ können nur _____ Gifte _____ gefährlichen

_____ zurückhalten, _____ bekannt _____. Experten_____,

dass 40 _____ 60 Prozent _____ Giftstoffe, _____ bei _____ Verbrennung

_____, mit _____ Rauchgasen _____ die _____ kommen.

_____ ist _____ bei _____ Mülldeponien. _____ hier

_____ es _____ chemische _____.

Die _____ können _____ den _____ und _____ das

_____ kommen.

Machen Sie mit: Bringen Sie gefährlichen Müll zu einer Sammelstelle für Problemmüll!

Schreiben Sie eine Zusammenfassung der Texte auf Seite 81. Kopieren Sie nicht den Text, verwenden Sie nur die Hilfen, schreiben Sie mit eigenen Worten.

Problem Nr. 1: Die Menge

– Deutschland, Jahr, 30 Millionen Tonnen, Abfälle, Müll, werfen

– Güterzug füllen, 12.500 km lang, Strecke Deutschland – Zentralafrika

– ersticken, Mülldeponien voll; Müllverbrennungsanlagen 24 Stunden

– Müll, sinnlos, produzieren

– Getränke, keine Dosen

– keine Plastiktüten

– Lebensmittel, ohne Verpackung

Problem Nr. 2: Die Verschwendung

– Dinge, auf den Müll werfen, industriell produziert, Arbeitskraft, Energie, Rohstoffe

– Glas, Papier, Dosen, bessere Lösung, Recycling, neue Produkte

– Küchenabfälle, 50 % des Mülls, zu schade für Deponie, Kompostierung, Pflanzenerde

Machen Sie mit: Sortieren Sie Ihren Müll!

– Batterien, Kunststoffe, Lacke und Farben, Medikamente, Pflanzengift, Putzmittel, chemische Reaktionen, kontrollieren

– Müllverbrennungsanlagen, Filter, Gifte, gefährliche Stoffe, bekannt, zurückhalten

– Giftstoffe, 40 bis 60 Prozent, Rauchgase, Luft

– Mülldeponien, unkontrollierbar, chemische Reaktionen, Boden, Grundwasser

43 Lektion 7
zu Übung 5b, Seite 88

Erzählen Sie die Geschichte.

Bild 1
Urlaub, Italien,
Gardasee, fahren,
surfen

Bild 2
Hotel, ankommen,
Koffer, aus Auto holen,
nicht da

Bild 3
Strand legen,
nachdenken, Tankstelle,
Rechnung zahlen,
Dieb, stehlen

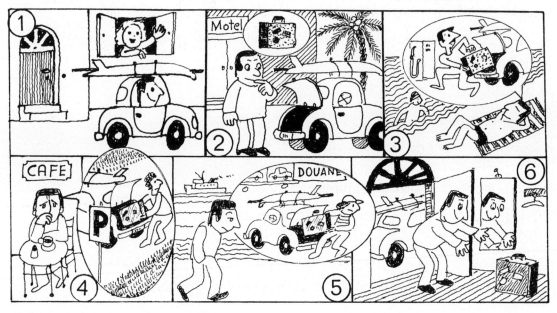

Bild 4
Café gehen,
nachdenken,
Parkplatz, Pause
machen,
Dieb, stehlen

Bild 5
Strand, spazieren
gehen,
nachdenken, Grenze,
Toilette gehen, Dieb,
stehlen

Bild 6
nach Hause fahren,
ankommen,
ins Haus gehen, Flur,
vergessen

Was fragt die Freundin?
Was möchte sie wissen?

a) Was willst du nach deiner Prüfung machen?

   Sie möchte wissen, was sie nach _____

   _____

   _____

b) Warum willst du in deiner alten Firma nicht weiterarbeiten?

   _____

   _____

c) Kannst du gut Englisch?

   _____

   _____

d) Wie willst du eine Stelle finden?

   _____

   _____

e) Hast du genug Geld?

   _____

   _____

f) Wo willst du wohnen?

   _____

   _____

g) Wie bekommst du eine Arbeitserlaubnis?

   _____

   _____

h) Hast du überhaupt keine Angst?

_____

_____

i) Was denken deine Eltern über deine Pläne?

_____

_____

j) Hast du schon gekündigt?

_____

_____

Was fragt die Freundin?
Was möchte sie wissen?

a) was?, nach der Prüfung, machen
b) warum?, alte Firma, nicht weiterarbeiten
c) gut Englisch, können
d) wie?, Stelle, finden
e) genug Geld, haben
f) wo?, wohnen
g) wie?, Arbeitserlaubnis, bekommen
h) keine Angst, haben
i) Eltern, über Pläne, denken
j) schon gekündigt

Schreiben Sie eine Zusammenfassung von einem der drei Abschnitte des Textes. Verwenden Sie die Stichworte als Hilfe.

Frauke Künzel:

- Leben langweilig finden, 500 Euro, nach Südfrankreich fahren
- Jugendherberge wohnen, keinen Job finden
- Glück, Bistrobesitzer kennen lernen, Job als Bedienung, 1300 Euro
- Gäste, „Eisberg" nennen, wenig Französisch, kühl, Scheu verstecken
- paar Wochen, Französisch lernen, Kontakt finden
- ein Jahr, zurückkommen, keine Stelle
- Job im Ausland empfehlen, selbstständiger werden, sehr wichtig
- lernen, was „savoir vivre" bedeutet

Ulrike Schuback:

- eigentlich Italien, Theaterwissenschaft studieren, ein Jahr, keine Lust
- für Mode interessieren, Job in Boutique suchen
- Verkäuferin anfangen, heute Geschäftsführerin
- Stelle, interessant, gut bezahlt, viele Freiheiten
- Frauen in Italien im Beruf und im Privatleben schwerer als in Deutschland
- Italien lieben, Italiener herzlicher, Regeln und Gesetze nicht so ernst nehmen, Leben leichter

Simone Dahms:

- London zweite Heimat
- nach Studium, Buchhändlerin, in Deutschland keine Stelle, zu alt, überqualifiziert
- nach London fahren, Glück, kleine Buchhandlung als Angestellte, heute Abteilungsleiterin
- deutsche Freunde fragen, wie geschafft, Beruf nicht gelernt
- in England Können wichtiger als Zeugnisse
- Schwierigkeiten, kühle Art der Engländer, nett und freundlich, offene und herzliche Freundschaften selten

Ordnen Sie zuerst die Textteile den drei Frauen zu.
Ordnen Sie dann die Teile zu drei Texten.

Stephanie Tanner: Alexandra Tokmakido: Rui Hu:

7, _____   _____   _____

1

Aber einige Dinge findet sie auch positiv: „Zum Beispiel, dass die Jugendlichen schon mit 16 von zu Hause ausziehen dürfen. So werden sie viel früher selbständig als die Griechen."

2

Gar nicht verstehen kann sie, dass sich deutsche Frauen über zuviel Arbeit beschweren: „Die Chinesin ist normalerweise auch berufstätig und hat viel mehr Arbeit. Ihre Küche ist nicht vollautomatisiert und die Männer helfen weniger im Haushalt. Aber die chinesischen Frauen klagen nie."

3

Zwar wollen die meisten amerikanischen Männer immer noch, dass ihre Frau zu Hause bleibt, aber das ist vorbei. „Es ist wie hier, auch bei uns brauchen viele Familien ein zweites Einkommen und die Frauen wollen nicht mehr nur auf die Kinder aufpassen."

4

„Die Deutschen sind viel spontaner als die Chinesen", sagt Rui Hu, „ich habe mich immer noch nicht daran gewöhnt, dass man hier auch außerhalb der Familie seine Gefühle so offen und deutlich zeigt."

5

„Ganz toll finde ich auch das Umweltbewusstsein der Deutschen. Wie sehr wir in den USA die Natur kaputt machen, ist mir erst in Deutschland aufgefallen. Hier wird man sogar komisch angeguckt, wenn man Papier auf die Straße wirft."

6

Sie meint, dass die Frauen in Deutschland ein besseres Leben haben: „Wenn bei uns Frauen heiraten, sind sie nur noch für die Familie da, die eigenen Interessen sind unwichtig. Deutsche Frauen sind glücklicher; ihre Männer helfen bei der Hausarbeit und bei der Kindererziehung."

7

Obwohl sie große Ähnlichkeiten zwischen der deutschen und amerikanischen Arbeitswelt sieht, ist sie doch erstaunt, wie groß hier die soziale Sicherheit besonders für Mütter mit Kleinkindern ist. „Bei uns gibt es kein Erziehungsgeld, keine Reservierung von Arbeitsplätzen für Mütter mit Kleinkindern. Eine Mutter kann höchstens drei Monate zu Hause bleiben, dann muss sie zurück in den Job."

8

„Pünktlich, korrekt und logisch sind die Deutschen. Für alles gibt es einen Plan, nicht nur einen Fahrplan, sondern auch einen Haushaltsplan, einen Urlaubsplan, einen Ausbildungsplan, einen Essensplan. Genau das stört mich. Hier ist kein Platz für Gefühle. Die Menschen sind kühl, man interessiert sich wenig für die Sorgen und Probleme anderer Menschen", sagt Alexandra.

9

„Toll sind auch die langen Urlaubszeiten. Wir haben nur zwei freie Wochen pro Jahr und das ist für eine Familie einfach zu wenig." Noch etwas gefällt ihr in Deutschland: die freundlichen und sauberen Städte. „Hier kann man selbst in den Großstädten mit dem Fahrrad fahren. Bei uns sind die Straßen immer noch nur für die Autos da."

10

„Überhaupt ist das Leben in Deutschland hektisch. Alles muss schnell gehen, die Arbeit, die Gespräche, sogar für das Essen haben die Deutschen wenig Zeit. Jeder denkt zuerst an sich. Das gilt besonders für deutsche Frauen. Ich finde, sie sind zu emanzipiert."

11

Gut findet sie auch, dass die deutschen Frauen meistens den gleichen Lohn wie die Männer bekommen und dass sie im Beruf leichter Karriere machen können als in den USA. „Der deutsche Mann ist als Kollege etwas toleranter als der Amerikaner."

Nachrichten in Bildern

Aus der Presse

Abgeordnete bekommen 6,5 % mehr Geld ①
Berlin (AP) Die 662 Abgeordneten des deutschen Bundestags bekommen ab 1. Oktober 6,5 % mehr Gehalt. Das wurde gestern im Bundestag mit großer Mehrheit beschlossen. Nur wenige Abgeordnete kritisierten den Beschluss.

Wahlrecht für Ausländer hat kaum Chancen ②
Bonn/Berlin (dpa) Eine große Gruppe von Abgeordneten fast aller Parteien fordert ein neues Wahlrecht, damit auch Ausländer, die länger als 10 Jahre in Deutschland leben, wählen dürfen. Der Vorschlag, für den eine Änderung der Verfassung notwendig ist, wird diese Woche im Bundestag diskutiert.

Landtagswahlen in Brandenburg ③
Postdam (eig. Ber.) Die Sozialdemokraten (SPD) haben am Sonntag die Landtagswahlen in Sachsen-Anhalt gewonnen. Sie wurden mit 43 % der Stimmen stärkste Partei. Die Christlichen Demokraten (CDU), die Partei des alten Ministerpräsidenten, bekamen nur noch 38,5 %, die Freien Demokraten (FDP) 8,7 %.

Bundespräsident zu Staatsbesuch in Schweden ④
Stockholm (dpa) Der Bundespräsident ist seit Dienstag zu einem viertägigen Staatsbesuch Schwedens in Stockholm. Er wurde im königlichen Schloss zusammen mit seiner Frau von König Carl Gustaf und seiner aus Deutschland stammenden Frau, Königin Silvia, begrüßt.

Wirtschaftsminister droht mit Rücktritt ⑤
Köln In einer Fernsehdiskussion hat der Bundeswirtschaftsminister mit seinem Rücktritt gedroht, wenn das Kabinett nicht bis zum 10. Juli beschließt in den nächsten beiden Jahren die Subventionen um 15 Milliarden Euro zu kürzen.

Bundesrat kritisiert Reform des Mehrwertsteuergesetzes ⑥
Berlin Der Bundesrat hat das neue Mehrwertsteuergesetz kritisiert. Die meisten Bundesländer sind mit dem Gesetz nicht einverstanden, weil sie nach ihrer Meinung zu wenig Geld aus der Mehrwertsteuer bekommen.

„Nur wenn wir selbst sparen, können wir auch von **ⓓ**
den Bürgern höhere Steuern verlangen", meinte eine Abgeordnete. Sie schlug vor die Zahl der Abgeordneten bei der nächsten Bundestagswahl zu verkleinern und erinnerte an einen Satz des Finanzministers: „662 Abgeordnete sind einfach zu viel."

Doch es ist sehr wahrscheinlich, dass die Ausländer **ⓒ**
auch bei der nächsten Bundestagswahl zu Hause bleiben müssen. Denn die CSU und über 70 Abgeordnete der CDU sind gegen eine Änderung des Wahlgesetzes. Ohne ihre Stimmen aber gibt es keine Zweidrittelmehrheit für eine Verfassungsänderung.

Die alte Koalition aus CDU und Freien Demokraten **ⓑ**
hat damit ihre Mehrheit im Landtag verloren. Der neue Ministerpräsident kommt wahrscheinlich von der SPD, die eine Koalition mit der FDP bilden möchte.

Der Bundespräsident wird vom Bundesaußen- **ⓔ**
minister begleitet, der mit seinem schwedischen Kollegen Sten Andersson ein längeres Gespräch über internationale Fragen führte.

„Wenn das Ziel nicht erreicht wird, dann hat die **ⓕ**
Bundesregierung einen neuen Wirtschaftsminister", sagte er. Der Minister hofft, dass das Kabinett seinem Vorschlag folgt. Die Alternative wäre höhere Steuern oder neue Schulden. Der Bundeskanzler kommentierte die Sätze seines Wirtschaftsministers mit den folgenden Worten: „Einen Rücktrittswunsch kann ich auch annehmen."

Der schleswig-holsteinische Ministerpräsident **ⓐ**
erklärte im Bundesrat: „Die Geldprobleme der Länder dürfen nicht noch größer werden!" Jetzt muss der Bundestag einen neuen Vorschlag machen.

61

Das politische Wahlsystem in der Bundesrepublik Deutschland

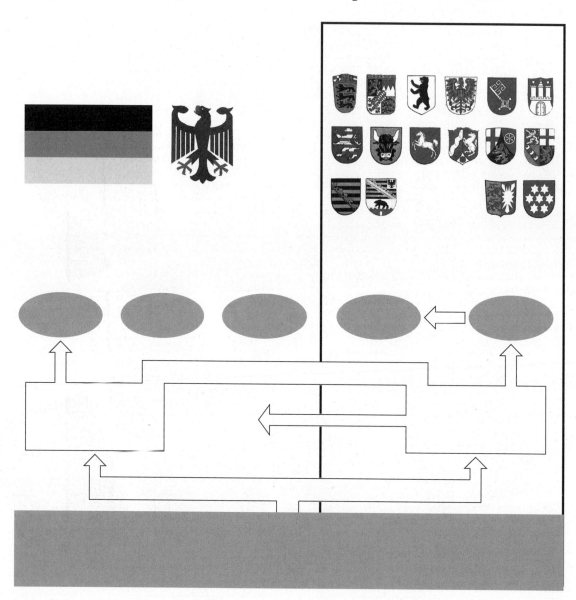

Welche Personen kennen Sie? Was waren/sind diese Personen? Was haben sie gemacht?

Schröder (6)
Deutsche Bundeskanzler: Adenauer (11), Brandt (9), Kohl (2),
Französische Präsidenten: de Gaulle (7), Mitterrand (4)
Premierminister von Großbritannien: Churchill (8), Thatcher (5)
Parteichefs der Sowjetunion: Stalin (1), Gorbatschow (12)
Präsidenten der USA: Kennedy (10), Reagan (3)

Schlagzeilen und Bilder

Das Volk siegt - Offene Grenzen
- Freie Wahlen
(Der Spiegel, 13. 11. 89)

Mauer und Stacheldraht trennen
nicht mehr
(FAZ, 11. 11. 89)

Deutschland umarmt sich
Einigkeit und Recht und Freiheit
(Bild, 11. 11. 89)

Berlin: Das dreitägige
Volksfest der Freiheit
(SZ, 13. 11. 89)

Menschenmassen in Berlin verursachen
fröhlichstes Chaos der Welt
(Der Spiegel, 13. 11. 89)

Füllen Sie die Tabelle aus.
Welches Heim finden Sie am besten?

	Seniorenheim „Abendfrieden"	Haus Schlosspension	Johanneshaus
Lage des Altenheims			*Stadtrand*
Typ der Wohnung			
Einrichtung der Wohnung	*eigene Möbel*		
Balkon			
Bad/Dusche			
Toilette			
Telefon			
Fernseher		*ja*	
Preis pro Monat			
Personal			
Pflege/Pflegekosten			
Freizeitmöglichkeiten			

Was hat Herr Bauer diese Woche alles gemacht?

anschließen montieren wechseln
aufhängen reparieren zusammenbauen
bohren schweißen . . .

Redemittel

Du, ... hör mal.		
Hast du mal	gerade	Zeit?
	einen Augenblick	
Kannst	du mir mal helfen?	
Könntest		

Was	gibt es denn?
	ist denn los?
	brauchst du denn?
	kann ich für dich tun?
	soll ich denn machen?

Ich	brauche	...
	habe kein	

Wo ist denn ...?

Bringst	du	mir mal das ...?
Gibst		
Holst		

Kannst	du	mir das	... mal	bringen?
Würdest				geben?
				holen?

Wärst du mal so nett mir das ... zu
bringen?

Tut mir Leid, aber ich	habe jetzt keine Zeit.
	kann jetzt leider nicht.

Ich muss ...
Ich ... gerade ...

Kannst	du	es dir	nicht	selber	holen?
Könntest			vielleicht		suchen?
					nehmen?

Natürlich, einen Augenblick bitte.
Sicher, sofort.

Wo	ist ...	denn?
	finde ich ...	

Wünsche/Ideen für das eigene Alter

Leute von heute

Heinrich Winter, Rentner, sucht jetzt, nach vierzig Jahren Büroarbeit als Versicherungskaufmann, Freiheit und Abenteuer. Er hat sein Haus in Michelstadt und seine Möbel verkauft und fährt jetzt mit einem gebrauchten Wohnwagen und einem Kanu durch Afrika. Er will dabei „kein einziges Mal an Europa oder an Deutschland denken". ...

Das ist doch Unsinn!
So eine verrückte Idee!
Wie kann man so etwas nur machen?
Ich würde das nie machen!

Ich finde die Idee gar nicht so schlecht.
Warum soll er das nicht machen?
Dazu hätte ich auch Lust.
Mir gefällt das.

Wie möchtest du denn später leben?
Was würdest du denn als Rentner machen?

Ich würde | alte Autos reparieren.
im Garten arbeiten.
ein Buch schreiben.
im Café sitzen.
...

Das würde ich auch gerne.
Das würde mir auch gefallen.
Vielleicht würde ich auch | eine neue Sprache lernen.
jeden Tag schwimmen gehen.
einen großen Hund kaufen.
...

Syntaxschema

Vorfeld	Verb	Subj.	Ergänzung	Angabe	Ergänzung

Syntaxschema

Verb₂	Ergänzung	Angabe	Ergänzung	Subj.	Verb₁	Vorfeld

→ GR 1

Zu Üb. 3, Seite 9

Vergleichspartikel *als* und *so . . . wie*

Beim Komparativ wird die Partikel *als* verwendet. Sie ist die hochsprachlich korrekte Form. In der gesprochenen Alltagssprache wird jedoch auch häufig *wie* verwendet. Im Unterricht sollte man deshalb nicht zu stark auf einer korrekten Unterscheidung zwischen *wie* und *als* bestehen.

Mit *KOMPARATIV + als* wird die Ungleichheit zweier Dinge oder Personen ausgedrückt. *So + POSITIV + wie* bezeichnet die Gleichheit zweier Dinge oder Personen. Es ist nicht möglich in dieser Phrase die Partikel *als* zu verwenden.

Wenn nötig darauf hinweisen, dass die Elemente, die verglichen werden, immer im selben Kasus stehen.

Tafelbild

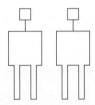

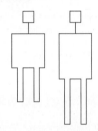

Peter ist (genau) so groß wie Klaus.
Er ist so (genau) groß wie sein Freund Klaus.

    (genau) so + ADJEKTIV + wie

Hans ist größer als Peter.
Er ist größer als sein Freund Peter

    KOMPARATIV + als

Eventuell kann man folgende Zusatzübung machen:

Ergänzen Sie *als* oder *wie*.

a) Corinna ist etwa so schlank _____ ihre Mutter.
b) Meine Freundin ist so schön _____ ein Fotomodell.
c) Marianne ist viel intelligenter _____ ihr Vater.
d) Ich finde Brigitte sympathischer _____ Eva.
e) Ist Uta so groß _____ Eva?

→ GR 2

Zu Üb. 6, Seite 10

Attributives Adjektiv im Nominativ nach definitem Artikel

In Übung 6 werden nur die Nominativformen beim definiten Artikel geübt.

Die Wortfolge *ARTIKEL + ADJEKTIV + NOMEN,* also der Gebrauch des Adjektivs als Attribut, stellt bekanntermaßen eine hartnäckige Fehlerquelle dar. Die verschiedenen

Formen werden deshalb in der Lektion systematisch isoliert und auf verschiedene Übungsschritte verteilt. Die Nominativ- und Akkusativformen stehen dabei im Vordergrund, da sie am häufigsten vorkommen. Die Dativformen treten vor allem in Phrasen mit Präpositionen auf (z. B. *die Frau in dem blauen Kleid*).

71

Es ist kaum möglich die Formen allein durch das Auswendiglernen von Konjugationstabellen zu lernen. Den KT sollte deshalb der Zusammenhang zwischen Adjektivendungen und Artikelendungen anhand der Vorlagen 11 und 12a verdeutlicht werden. Faustregel: Wenn die Kasusendung am Artikel erkennbar ist, hat das Attribut die Endungen -en oder -e, wenn nicht, trägt das Attribut die Kasusendung des entsprechenden definiten Artikels.

Dieser Zusammenhang kann anhand der Vorlagen 11 und 12a erläutert werden. Wir schlagen vor dies nach der Einführung aller Formen zu tun und zunächst nur die Formen in Vorlage 7 in einer Deklinationstabelle Schritt für Schritt zu ergänzen. Natürlich ist es möglich den Zusammenhang auch Schritt für Schritt zu erarbeiten.

Im Gegensatz zum attributiven Adjektiv wird im Deutschen das prädikativ verwendete Adjektiv nicht flektiert, z. B.

Die Nase ist groß. (prädikatives Adjektiv)
Die große Nase ist von Bild ... (attributives Adjektiv)

Der KL sollte darauf besonders hinweisen, wenn, anders als im Deutschen, in der Muttersprache der KT das prädikative Adjektiv flektiert wird.

→ GR 3

Zu Üb. 7, Seite 10

Attributives Adjektiv im Akkusativ nach definitem Artikel

In dieser Übung werden nur die Akkusativformen des attributiven Adjektivs nach definitem Artikel geübt. Dabei fällt wieder die schon bekannte Sonderstellung des Maskulinums Singular auf: Das Adjektiv erhält die Endung -en. Die übrigen Formen sind die gleichen wie im Nominativ, also im Singular -e und im Plural -en.

→ GR 4

Zum Text „Dumme Sprüche ...", Seite 12

Attributives Adjektiv im Nominativ nach indefinitem Artikel

Der indefinite Artikel deutet in den Sprüchen auf eine verallgemeinernde Aussage hin. Dies bereitet Ausländern oft Schwierigkeiten, da verallgemeinernde Aussagen im Plural in manchen Ausgangssprachen mit bestimmten Artikeln stehen und die Gefahr einer falschen Übertragung besteht.

Als zusätzliche Schwierigkeit kommt hinzu, dass man im Deutschen bei verallgemeinernden Aussagen sowohl den Indefinitartikel im Plural (= Nullartikel) als auch den Indefinitartikel im Singular benutzen kann, z. B.: *Dicke Kinder sind gesünder.* und *Ein dickes Kind ist gesünder.* Beide Sätze haben dieselbe Bedeutung.

→ GR 5

Zum Text „Leserinnen finden ihren Stil", Seite 13

Attributives Adjektiv im Akkusativ nach indefinitem Artikel

Beim attributiven Adjektiv mit indefinitem Artikel im Akkusativ ist, wie beim Nominativ, auf die besonders markierte Kaususendung des Adjektivs im Maskulinum und Neutrum hinzuweisen.

→ GR 6

Zu Üb. 13, Seite 14

Frage mit *was für ein-?*

Die den KT schon aus Band 1 bekannte Frage mit dem Artikelwort *welcher* bezieht sich auf eine Auswahl aus einer Reihe bekannter Gegenstände. Die Antwort darauf erfolgt folgerichtig durch eine Adjektivphrase mit Definitartikel, z. B. □ *Welcher Anzug gefällt dir am besten?* ○ *Der blaue.*

Was für ein . . . fragt nach einer bisher unbekannten Eigenschaft; in der Antwort wird der Indefinitartikel verwendet, z. B. □ *Was für einen Anzug hat er getragen?* ○ *Einen blauen.*

Im ersten Fall wird ein Gegenstand identifiziert, im zweiten klassifiziert.

Tafelbild

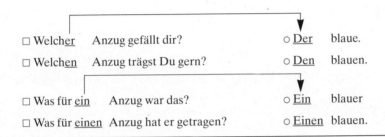

→ GR 7

Zu Üb. 16, Seite 15

Attributives Adjektiv im Dativ nach definitem und indefinitem Artikel

Die Attributendung im Dativ Singular und Plural nach definitem und indefinitem Artikel ist immer *-en* (vgl. Vorlagen 11 und 12a)

Die Dativformen des attributiven Artikels

nach indefinitem Artikel werden durch keinen speziellen Text im Kursbuch eingeführt. Dies muss der KL mit dem auf S. 11 im LHB beschriebenen Schritt tun. Geübt werden die Formen im AB in den Übungen 15 und 16 auf Seite 12.

→ GR 8

Zum Text „Psycho-Test", Seite 16

Artikelwörter

Die im Text genannten Artikelwörter *dieser, jeder, mancher* haben alle dieselben Formen wie die Definitartikel. Sie können wie diese auch ohne Nomen, d. h. als Pronomen gebraucht werden (ebenso wie das Definitpronomen *der;* vgl. „Themen neu 1", Lektion 5).

Das Artikelwort *mancher* wird im Singular selten verwendet. *Alle* ist formal der Plural von *jeder*, beide bedeuten jedoch das Gleiche.

In einigen Sprachen können die Artikelwörter z. T. Adjektive sein. Dies ist bisweilen ein Lernproblem. Der KL sollte den Unterschied dann erklären.

Attributives Adjektiv nach Artikelwörtern

Die Artikelwörter *dieser, jeder, mancher* und *alle* (Pl.) werden wie der definite Artikel dekliniert. Auch die Adjektive haben deshalb nach diesen Artikelwörtern dieselben Endungen wie nach dem definiten Artikel.

GR

→ GR 9

Zu Üb. 1, Seite 23

Struktur des Nebensatzes

Aus den Beispielsätzen der Übung 1 können die KT die Besonderheiten des Nebensatzes ableiten: Die finite Verbform steht nicht wie in Hauptsätzen an der Verb1-Stelle, sondern an der Verb2-Stelle hinter den infiniten Verbteilen (Partizipien und Infinitive) ganz am Ende des Satzes. Nebensätze werden immer mit einem Subjunktor (z. B. *weil*) eingeleitet. Dieser besetzt keine Stelle im Satz, sondern steht außerhalb des Satzschemas (vgl. Grammatik § 22).

Folgende (vereinfachte) Lernregel ist hilfreich: „Wenn ein Satz mit einem Subjunktor (*weil, obwohl*, etc.) beginnt, dann steht der finite Teil des Verbs am Satzende."

Ein Gefüge aus Haupt- und Nebensatz ist syntaktisch eigentlich ein Hauptsatz, der Nebensatz ist Teil der Struktur des Hauptsatzes. Konzessiv- und Kausalsätze mit *weil* bzw. *obwohl* haben dort die Funktion von Angaben. Der Vergleich der folgenden Sätze macht das deutlich:

Trotz der manchmal anstrengenden Arbeit macht der Beruf Paula sehr viel Spaß.

Obwohl die Arbeit sehr anstrengend ist, macht der Beruf Paula sehr viel Spaß.

Die Erklärung der Nebenstruktur geschieht am besten anhand des Satzschemas auf Vorlage 57. Kopieren Sie diese und die Sätze auf Vorlage 23 als OHP-Folie, schneiden Sie die Wörter der Sätze einzeln aus. Wir schlagen folgende Schritte vor.

a) Präsentieren Sie das Satzschema und die Wörter satzweise (ohne die Subjunktion *weil*) ungeordnet.

b) Bauen Sie einen oder zwei Sätze als Hauptsätze wieder zusammen, indem Sie sie in das Schema eintragen (als Overlay) und erklären Sie (als Wiederholung) dabei die Struktur von Hauptsätzen.

c) Lassen Sie die KT weitere Hauptsätze bilden und in das Schema eintragen.

d) Machen Sie aus einem oder zwei der Hauptsätze Nebensätze, indem Sie die Subjunktion *weil* (Overlay) ergänzen und das Verb umstellen. Erklären Sie dabei die Struktur des Nebensatzes.

e) Lassen Sie die KT aus den Hauptsätzen Nebensätze machen; entsprechende Anzahl des Subjunktors *weil* (als Overlay) kopieren.

f) Als Abschluss präsentieren Sie die Wörter satzweise noch einmal außerhalb des Schemas. KT bilden Nebensätze.

Sollte kein OHP zur Verfügung stehen, können diese Schritte natürlich auch mit Hilfe von Tafelbildern ausgeführt werden.

→ GR 10

Zu Üb. 5, Seite 25

Präteritum der Modalverben

Viele Kollegen erklären die Präteritumformen der schwachen Verben folgendermaßen: „An

den Präteritumstamm, gebildet aus Präsensstamm + *(e)t*, werden die bekannten Personalendungen des Präsens angehängt."
Z. B.:

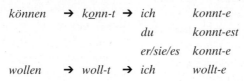

lernen	→ *lern-t* →	*ich*	*lernt-e*
		du	*lernt-est*
		er/sie/es	*lernt-e*

Als Ausnahme muss bei dieser Regel die 3. Person Singular behandelt werden.

Das Präteritum der Modalverben *können, dürfen* und *müssen* sowie von *haben* erklären sie entsprechend: „An einen regelmäßig oder unregelmäßig gebildeten Präteritumstamm werden die bekannten Personalendungen des Präsens angehängt." Z. B.:

können	→ *k<u>o</u>nn-t* →	*ich*	*konnt-e*
		du	*konnt-est*
		er/sie/es	*konnt-e*
wollen	→ *woll-t* →	*ich*	*wollt-e*

Dieser Weg hat aber zur Folge, dass man bei den starken Verben für die 1. und 3. Person Singular annehmen muss, dass die Endungen weggefallen sind:

bekommen	→ *bekam* →	*ich*	*bekam-ø*
		du	*bekam-st*
		er/sie/es	*bekam-ø*

Die Annahme von Ausnahmen vermeidet man durch folgende Erklärung: „Das Präteritum der Verben wird gebildet, indem an den, regelmäßig oder unregelmäßig gebildeten, Präteritumstamm die folgenden Präteritumendungen angehängt werden":

ich	*konnte-ø*	*lernte-ø*	*bekam-ø*
du	*konnte-st*	*lernte-st*	*bekam-st*
er/sie/es	*konnte-ø*	*lernte-ø*	*bekam-ø*
wir	*konnte-n*	*lernte-n*	*bekam-en*
ihr	*konnte-t*	*lernte-t*	*bekam-t*
sie/Sie	*konnte-n*	*lernte-n*	*bekam-en*

Wie man sieht, wird bei dieser Erklärung unterstellt, dass der Präteritumstamm bei schwachen (regelmäßigen) Verben mit *-te* gebildet wird. Zu erklären ist allerdings die Besonderheit, dass bei starken Verben bei der 1. und 3. Person Plural aus lautlichen Gründen in die Endung ein „*e*" eingefügt werden muss.

Dieses Erklärungsmuster mit spezifischen Präteritumendungen erlaubt später auch eine einfachere und schlüssigere Erklärung der Konjunktivformen, z. B.: „Der Konjunktiv I wird gebildet, indem an den Präsensstamm ein *-e* und daran die Personalendungen des Präteritums angehängt werden":

gehen	→ *geh-e* →	*ich*	*gehe-ø*
		du	*gehe-st*
		er	*gehe-ø*

75

Wir halten unsere Erklärung für einfacher, überlassen es aber Ihnen, welche Form der Erklärung Sie wählen möchten. Die Grammatik im Anhang des Kursbuches schließt keins der zwei Verfahren aus. Sie sollten sich jedoch darüber klar sein, dass Sie ein einmal gewähltes Erklärungsverfahren später nicht mehr ändern können.

→ GR 11

Zu Üb. 8, Seite 27

Vorangestellter Nebensatz

In Satzgefügen aus Haupt- und Nebensatz stehen Nebensätze mit Subjunktor nicht selten an erster Stelle. Der voranstehende Nebensatz steht im Satzschema im Vorfeld, er ist also Teil des Hauptsatzes; das Subjekt muss deshalb an der Subjektstelle nach dem Verb stehen. Nebensätze mit *wenn, weil* und *obwohl* haben die Funktion einer Angabe.

Tafelbild

Vorfeld	Verb$_1$	Subj.	Erg.	Angabe	Ergänzung	Verb$_2$
Wenn er eine Lehre macht,	*kann*	*er*		*sofort*	*Geld*	*verdienen.*

→ GR 12

Zu Üb. 12, Seite 30

Satzverbindung durch Konjunktoren und Angabewörter

Die KT kennen jetzt bereits eine ganze Reihe satzverbindender Wörter. Zu unterscheiden sind *Subjunktoren,* die Nebensätze ihren Hauptsätzen zuordnen und deren Zusammenhang ausdrücken und *Konjunktoren* und spezifische *Angabewörter* (Adverbien), die Hauptsätze verbinden und sie aufeinander beziehen.

Konjunktoren bzw. Angabewörter bringen verschiedene Arten von Zusammenhängen (z. B. temporal, kausal, konzessiv) zwischen Sachverhalten zum Ausdruck. Die Adverbien *sonst, trotzdem, dann, deshalb, also* sind Angabewörter. Sie sind als Angaben Bestandteil des Satzes. Sie stehen entweder an der Angabenstelle oder, was meistens der Fall ist, am Satzanfang im Vorfeld. Das Subjekt steht im letzten Fall immer nach dem Verb, z. B.:

Tafelbild

<u>Deshalb</u> arbeitet sie   im Kindergarten.

Sie   arbeitet   <u>deshalb</u> im Kindergarten.

Die Konjunktoren *und, oder, aber, denn* sind wie Subjunktoren *(weil, wenn, obwohl)* keine Angaben und können dementsprechend auch nicht an der Angabenstelle im Satz stehen. Formal gesehen stehen sie außerhalb des Satzschemas, sodass das Subjekt auch im Vorfeld stehen kann (aber nicht muss [!]); z. B.:

Tafelbild

<u>Denn</u> sie   bekommt   vom Arbeitsamt   kein Geld.

<u>Denn</u> vom Arbeitsamt   bekommt sie   kein Geld.

(Bei *denn* ist zu beachten, dass es mehrere Bedeutungen haben kann. Es kann auch ein Modalpartikel sein (z. B. in *Wie heißen sie denn?*), steht dann als Angabe und hat mit dem kausalen Konjunktor nichts zu tun.)

Die Erklärung erfolgt am zweckmäßigsten im Zusammenhang mit Übung 12 im AB Seite 23 und anhand des § 28 der Grammatik, Seite 144. Man kann auch ein allerdings aufwendigeres Verfahren mit Hilfe von Folien bzw. Tafelbildern einsetzen, ähnlich wie in → GR 9 beschrieben. Die entsprechenden Sätze zur Herstellung der Overlays sind auf Vorlage 23.

→ GR 13

Zu Üb. 17, Seite 32

Datumsangaben

Vereinzelt sind Datumsangaben schon aufgetreten; jetzt sollen sie systematisiert werden. Dabei werden die Ordinalzahlen wiederholt. Den KT muss deutlich werden, dass die Ordinalzahlen in Datumsangaben Attribute mit den aus Lektion 1 bekannten Endungen sind.

Wichtig ist, dass die KT folgende Fälle unterscheiden, die am besten durch die zugehörigen Fragen plausibel gemacht werden können:

Tafelbild

□ *Welcher Tag/Welches Datum...?*	○ *Der erste April.*	(NOMINATIV)
□ *Wann/An welchem Tag...?*	○ *Am ersten April.*	*(an + DATIV)*
□ *Seit wann...?*	○ *Seit dem ersten April.*	*(seit + DATIV)*
□ *Wie lange/Von wann bis wann...?*	○ *Vom ersten April bis zum dritten Mai.*	*(von + DATIV... bis zu + DATIV)*

Die Bildung der Jahreszahlen bietet keine grammatikalische Schwierigkeit. Für einige Ausgangssprachen ist allerdings wichtig, dass man auf die Konvention *Neunzehnhundert...* (statt *Tausendneunhundert...*) hinweist.

→ GR 14

Zu „Leserbriefe", Seite 39

Präpositionalergänzung, reflexive Verben

Mit den reflexiven Verben mit Präpositionalergänzungen wird eine weitere Gruppe von Verben mit zwei Ergänzungen eingeführt. Präpositionalergänzungen sind eine eigene Klasse von Ergänzungen. Sie unterscheiden sich von Situativ- und Direktivergänzungen (die ja auch mit Präpositionen gebildet werden) dadurch, dass sich hier die betreffenden Präpositionen inhaltlich oder „logisch" kaum erklären lassen; sie müssen einfach gelernt werden (s. dazu AB Übung 8, Seite 32).

Das Reflexivpronomen steht wie die anderen Pronomen auch an der ersten Ergänzungsstelle nach der Subjektstelle. Es kann nicht im Vorfeld stehen. Die Präpositionalergänzung steht an der zweiten Ergänzungsstelle oder im Vorfeld; z. B.:

Tafelbild

Vorfeld	Verb1	Subj.	Ergänzung	Angabe	Ergänzung	Verb2
Kurt	*ärgert*		*sich*	*immer*	*über die Sendung.*	
Immer	*ärgert*	*Kurt*	*sich*		*über die Sendung.*	
	Hast	*du*	*dich*	*auch*	*über die Sendung*	*geärgert?*

Reflexivpronomen werden dann gebraucht, wenn Subjekt und Ergänzung identisch sind. Da ein reflexives Verb im Deutschen nicht selten einer nicht-reflexiven Konstruktion in anderen Sprachen entspricht, müssen je nach Bedürfnis der KT einige Fälle genauer beleuchtet werden. Wichtig ist z. B. die Unterscheidung zwischen *Sie ärgert ihn.* und *Sie ärgert sich.* zum Verständnis des Reflexivpronomens. Die gleichzeitige Kombination mit der Präpositionalergänzung hat den Vorteil, dass falsche Verwendungen relativ gut einsichtig gemacht und ausgeschlossen werden können.

Weitere Verben, die reflexiv und nicht-reflexiv verwendet werden sind z. B.: *sich waschen/die Wäsche waschen, sich ändern/den Plan ändern, sich aufregen/den Chef aufregen, sich anziehen/das Kind anziehen, sich vorbereiten/das Essen vorbereiten.*

→ GR 15

Zu Üb. 6, 7, Seite 39 und AB Üb. 11, 12, Seite 34

Fragewort *wo(r)* + *PRÄPOSITION*, Präpositionalpronomen *da(r)* + *PRÄPOSITION*

Präpositionalergänzungen können genauso wie Dativ- oder Akkusativergänzungen durch Pronomen und Fragewörter vertreten werden. Das präpositionale Fragewort wird nach dem Schema *wo(r)* + *PRÄPOSITION?* gebildet, das Präpositionalpronomen nach dem Schema *da(r)* + *PRÄPOSITION*. Diese Wörter werden nur bei Sachen und Sachverhalten verwendet, nicht bei Personen. Bei Personen benutzt man die Phrasen *PRÄPOSITION + FRAGEWORT* bzw. *PRÄPOSITION + PERSONAL-PRONOMEN*, z. B.:

Tafelbild

☐ *Über wen hast du dich geärgert?* ○ *Über den Schauspieler.*
  Über ihn.

☐ *Worüber ärgerst du dich?* ○ *Über die Talkshow.*
  Darüber.

→ GR 16

Zu Üb. 8, Seite 40

Konjunktiv II mit *würde*

Der Konjunktiv II bezeichnet eine gedachte Möglichkeit, ein Gedankenspiel, einen vorstellbaren Tatbestand, der nicht verwirklicht ist (aber verwirklicht werden könnte). Deshalb sollte man den häufig verwendeten Begriff „irreal" in diesem Zusammenhang besser nicht verwenden, weil er auch auf Sachverhalte angewendet werden kann, die rein fiktiv sind.

Die Konstruktion *würde + INFINITIV* ist die heute gebräuchlichste Form des Konjunktivs II, weil sie viel einfacher zu bilden ist als die Formen des Konjunktivs II der Verben. Sie hat dieselbe syntaktische Struktur wie die Konstruktion *Modalverb + INFINITIV* oder Sätze im Perfekt.

Tafelbild

Vorfeld	Verb1	Subj.	Ergänzung	Angabe	Ergänzung	Verb2
Ich	*würde*		*mir*	*selbst*	*ein Auto*	*kaufen.*
Ich	*muss*		*mir*	*selbst*	*ein Auto*	*kaufen.*
Ich	*habe*		*mir*	*selbst*	*ein Auto*	*gekauft.*

→ GR 17

Zu Üb. 12, Seite 41

Konjunktiv II der Verben *sein, haben* und der Modalverben

In der Umgangssprache verwendet man heute bei fast allen Verben statt ihrer Konjunktiv II-Formen die Umschreibung mit *würde*. Eine Ausnahme sind die Verben *sein, haben* und die Modalverben, bei denen man die „normalen" Formen des Konjunktivs II benutzt.

→ GR 18

Zu Üb. 13, Seite 42

Irreale Konditionalgefüge/Wunschsätze

Das Lied macht die „wenn-dann-Beziehung" des Konditionalgefüges besonders gut einsichtig. Der Wenn-Satz gibt die Voraussetzung an, unter der die im Hauptsatz genannte Konsequenz eintreten kann. Will man ausdrücken, dass diese Voraussetzung nicht gegeben und ihre Realisierung nicht möglich oder sehr unwahrscheinlich ist, verwendet man den Konjunktiv II. Den Indikativ benutzt man dagegen, wenn die Verwirklichung stark gewünscht wird (z. B. bei einem Versprechen), z. B.: *Wenn du mit mir gehst, bin ich immer bei dir.*

Der Wenn-Satz ist ein Nebensatz mit Subjunktor. Steht er im Satzgefüge vor dem Hauptsatz, so steht das Subjekt im Hauptsatz nach dem Verb. Der Konjunktor *dann* ist in diesem Fall weglassbar. Er nimmt wie ein Pronomen den Inhalt des Nebensatzes auf und leitet den Hauptsatz ein (vgl. Lektion 2, Seite 28).

→ GR 19

Zu Üb. 18, Seite 45

Konjunktiv II der Modalverben

Den Konjunktiv II der Modalverben *sollen,
müssen, dürfen* und *können* benutzt man vor
allem zum Ausdruck von Vorschlägen,
Wünschen, Bitten und Ratschlägen:

Man sollte die Straßenmusik verbieten.

Sie müssten leiser spielen.

Sie dürften nur mit Erlaubnis spielen.

Könnten Sie bitte etwas leiser sein?

Die Formen lassen sich aus dem Präteritum ableiten: Bei *sollen* und *wollen* sind sie identisch

mit dem Präteritum, bei den übrigen Modalverben wird der Stammvokal des Präteritum-
stamms zum Umlaut:

Tafelbild

Präsens	Präteritum	Konjunktiv II
ich soll	→ *ich sollte*	→ *ich sollte*
ich will	→ *ich wollte*	→ *ich wollte*
ich muss	→ *ich musste*	→ *ich müsste*
ich kann	→ *ich konnte*	→ *ich könnte*
ich darf	→ *ich durfte*	→ *ich dürfte*

→ GR 20

Zu Üb. 2 und 3, Seite 48

Steigerung des attributiven Adjektivs

Die Steigerung der Adjektive ist aus Band 1,
Lektion 9 bekannt, der Vergleich mit *wie* und
als aus Band 2, Lektion 1 (vgl. → GR 1). Neu
ist in dieser Lektion die attributive Verwendung des gesteigerten Adjektivs.

In Übung 2 wird zunächst der Superlativ geübt.
Bekannt ist die unflektierte Form *Der Ford
Fiesta ist am längsten.* Formulierungen wie *Der
Ford Fiesta ist der längste.* können als

Schüleräußerungen natürlich auch akzeptiert
werden, es muss aber klargemacht werden,
dass diese Form im Deutschen eher selten vor-
kommt. Dies ist wichtig, weil manche Sprachen
den (prädikativen) Superlativ parallel zu dieser
im Deutschen selteneren Konstruktion bilden
und eine Form wie *...am längsten* nicht kennen.
Neu ist die attributive Verwendung des Super-
lativs *Der Opel hat die niedrigsten Kosten.* Zum
Vergleich folgendes Tafelbild:

Tafelbild

Der Ford Fiesta ist <u>am</u> längs<u>ten</u>.

Die Kosten des Opel sind <u>am</u> niedrigs<u>ten</u>.

Der Ford Fiesta ist <u>das</u> längs<u>te</u> Auto.

Der Opel hat <u>die</u> niedrigs<u>ten</u> Kosten.

In Übung 3 wird der Komparativ thematisiert,
wobei zu beachten ist, dass der attributive
Komparativ in Verbindung mit dem indefiniten
Artikel nicht in allen Sprachen existiert. Die
Formulierung *Der Uno hat einen größeren Kof-*

ferraum als der Opel. ist also für manche KT
ungewöhnlich; sie würden in ihrer Sprache in
diesem Fall einen Satz bilden wie *Der Kofferraum des Uno ist größer als der Kofferraum des
Opel.* Tafelbild zum Vergleich:

Tafelbild

*Der Kofferraum des Uno ist größ<u>er</u>
<u>als</u> der Kofferraum des Opel.*

*Der Uno hat <u>einen</u> größ<u>eren</u> Kofferraum
<u>als</u> der Opel.*

Da bei der Bildung des gesteigerten attributiven Adjektivs mehrere Problemquellen zusammenkommen (Adjektivendung je nach Artikel und Kasus, Umlaut bei manchen Adjektiven im Komparativ und Superlativ, unregelmäßig gesteigerte Adjektive) sollte man für eine systematische Zusammenfassung nur die wichtigsten Formen im Nominativ und Akkusativ zusammen mit den KT an der Tafel oder auf Folie erarbeiten:

Tafelbild

Komparativ	Superlativ
Nominativ	
Der ...	*Der ...*
ist <u>ein größ<u>erer</u></u> Wagen als der ...	*ist <u>der größte</u> Wagen.*
ist <u>eine</u> <u>bessere</u> Alternative als der ...	*ist <u>die beste</u> Alternative.*
ist <u>ein</u> schnell<u>eres</u> Auto als der ...	*ist <u>das</u> schnell<u>ste</u> Auto.*
Akkusativ	
Der ...	*Der ...*
hat <u>einen</u> schwäch<u>eren</u> Motor als der ...	*hat <u>den</u> schwäch<u>sten</u> Motor.*
hat <u>eine höhere</u> Leistung als der ...	*hat <u>die höchste</u> Leistung.*
hat <u>ein</u> niedrig<u>eres</u> Gewicht als der ...	*hat <u>das</u> niedrig<u>ste</u> Gewicht.*
hat niedrig<u>ere</u> Kosten als der ...	*hat <u>die</u> niedrig<u>sten</u> Kosten.*

Übung 4 im Arbeitsbuch S. 43 gibt die Möglichkeit auch die Dativformen des attributiven Adjektivs zu wiederholen und in den Steigerungsformen anzuwenden.

→ GR 21

Zu Üb. 10, Seite 52

Passiv

Das Passiv hat im Deutschen grundsätzlich die Funktion ein Geschehen anzugeben, das an einem Gegenstand oder einer Person vollzogen wird. Bei bestimmten Abläufen, wie z. B. in der technischen Produktion, steht die Handlung selbst im Vordergrund, nicht aber die handelnde Person (der Handlungsträger). Oft ist es sogar unmöglich, unnötig oder nicht günstig den Handlungsträger zu nennen:

Das Karosserieblech wird automatisch geschnitten.

Man sollte also das Passiv nicht einfach als gleichbedeutende Transformation des Aktivs erklären, denn das Aktiv erfordert notwendigerweise, dass der Handlungsträger als Subjekt genannt wird, wodurch andere Akzente in der Information gesetzt werden. Wenn in einem Passivsatz der Handlungsträger überhaupt erscheint, hat er die Funktion einer freien Angabe:

Die fertigen Blechteile werden <u>von Robotern</u> geschweißt.

und ist dann meistens besonders betont (vgl. dazu Übung 15 im Arbeitsbuch):

Die Kinder werden <u>vom Vater</u> geweckt.

Subjekt eines Passivsatzes ist nicht der Handlungsträger, sondern die Person oder der Gegenstand, an dem die Handlung vollzogen wird. In der Übungsphase ist deshalb besonders darauf zu achten, dass die Konjugationsform von *werden* in Person und Numerus mit dem Subjekt übereinstimmt.

Gegebenenfalls ist es notwendig darauf hinzuweisen, dass im Gegensatz zu vielen Ausgangssprachen, die das Passiv mit einer Form von *sein* bilden, im Deutschen ein anderes Hilfsverb, nämlich *werden,* zur Bildung der Passivformen benutzt wird. Da dies erfahrungsgemäß häufig zu Fehlern führt, kann es sinnvoll sein, das Problem im Unterricht zu besprechen und den Bedeutungsunterschied der Sätze:

> *Das Karosserieblech wird geschnitten.* (= *Es wird jetzt geschnitten.*)
> und
> *Das Karosserieblech ist geschnitten.* (= *Es ist schon fertig.*)

zu erklären. Eine systematische Behandlung des sog. Zustandspassivs (... *ist geschnitten*) ist allerdings erst Gegenstand von „Themen neu 3" und sollte daher einem späteren Zeitpunkt vorbehalten werden.

Im Zuge der Behandlung des Passivs müssen natürlich auch die Partizip-II-Formen wiederholt werden (Übung 15 und 19 im Arbeitsbuch), ggf. Rückgriff auf „Themen neu 1", Lektion 6 und 7.

Da inzwischen mehrere Verwendungen von *werden* bekannt sind, werden diese in der Grammatikübersicht § 21 einander gegenübergestellt.

→ GR 22

**Zum Text „Die beste Lösung für Barbara",
Seite 60**

Infinitivsätze mit *zu*

Modalverben, das Verb *lassen* und *würde* stehen mit dem reinen Infinitiv. Dagegen erfordern Verben wie z. B. *versuchen, vergessen, helfen* und Ausdrücke wie *Lust haben, Zeit haben* einen Infinitiv mit *zu,* genauer einen Infinitivsatz mit *zu.* Der Infinitivsatz hat genauso wie andere Sätze Ergänzungen und Angaben, jedoch kein Subjekt und kein flektiertes Verb, weil diese mit dem Hauptsatz identisch sind. Infinitivsätze können nur verwendet werden, wenn diese Bedingung erfüllt ist, sonst muss man normale Nebensätze z. B. mit *dass* oder *damit* verwenden. Der Infinitivsatz als Ganzes ist Teil des übergeordneten Hauptsatzes, und zwar seine Ergänzung.

Wichtig ist, dass *zu* immer direkt vor dem Infinitiv steht oder – bei trennbaren Verben – zwischen dem Verbzusatz und dem Infinitiv, z. B. *abzunehmen.* Die KT kennen dieses Phänomen schon von der Bildung des Partizips II bei trennbaren Verben, z. B. *abgenommen.*

Tafelbilder

a) *Ich möchte*   *abnehmen.*   *Ich möchte*   *weniger rauchen.*
    Ich habe   *ab-ge-nommen.*   *Ich habe*   *weniger ge-raucht.*
    Ich versuche   *ab-zu-nehmen.*   *Ich versuche*   *weniger zu rauchen.*

b)

Vorf.	Verb₁	Subj.	Erg.	Angabe	Verb₂	Ergänzung (= Infinitivsatz)			
						Erg.	Angabe	Ergänzung	Verb₂
Ich	*versuche*							*ruhiger*	*zu sein.*
Ich	*habe*		*ihm*	*sofort*	*geholfen*		*schnell*	*eine Frau*	*zu finden.*

Zusatzübung:

Ordnen Sie die folgenden Sätze in das Schema ein.

a) Ich versuche einen anderen Mann zu finden.

b) Ich versuche weniger zu rauchen.

c) Ich versuche mich nicht über ihn zu ärgern.

d) Ich habe ihr geraten ihn nicht mehr zu kritisieren.

→ GR 23

Zu Üb. 7, Seite 64

Nebensatz mit *dass*

Genau wie die anderen Nebensätze wird auch der Nebensatz mit *dass* durch einen Subjunktor eingeleitet, der selbst nicht Teil des Satzschemas ist. Er kann nie alleine stehen, sondern immer nur in Abhängigkeit von einem Hauptsatz. Der Dass-Satz ist strukturell in diesen übergeordneten Hauptsatz eingebettet, er ist entweder eine Ergänzung oder das Subjekt desselben.

Mit Dass-Sätzen beschreibt man Geschehnisse und Sachverhalte. Der übergeordnete Hauptsatz drückt – allgemein gesprochen – die Art der Einstellung des Sprechers zu diesen Geschehnissen und Sachverhalten aus (Meinung, Wertung, sachliche Wiedergabe, etc.). Nebensätze mit *dass* stehen deshalb meistens nach Verben des Sagens, Wissens und Meinens.

Da die KT bisher den Nebensatz mit *dass* noch nicht kannten, haben sie stattdessen bisher einen Hauptsatz verwendet, was in der gesprochenen Sprache durchaus angemessen und üblich ist, z. B.: *Ich glaube, Hans ist der Pfarrer.* statt *Ich glaube, dass Hans der Pfarrer ist.*

Ein Nebensatz mit *dass* <u>muss</u> jedoch stehen,

a) wenn der übergeordnete Hauptsatz als Bezugswort ein Präpositionalpronomen (z. B. *dafür, dagegen*) hat,

b) wenn der übergeordnete Hauptsatz verneint ist, z. B.: *Ich glaube <u>nicht</u>, dass Hans der Pfarrer ist.*

Im Gegensatz zur gesprochenen Sprache wird in der geschriebenen Sprache der Dass-Satz deutlich bevorzugt.

Tafelbild

Ergänzung (= dass-Satz)						
Vorf.	Verb₁	Subj.	Erg.	Angabe	Ergänzung	Verb₂
		er			*Helmut*	*heißt.*
		er	*sie*	*bald*		*heiraten will.*

Ich weiß, dass

Zusatzübung:

Ordnen Sie folgende Sätze in das Schema ein.

a) Ich habe gehört, dass sie sich verlobt haben.

b) Bist du sicher, dass er schon verheiratet ist?

c) Ich glaube, dass sie ihn im Urlaub kennen gelernt hat.

d) Ich habe gesehen, dass er ihr im Bus einen Kuss gegeben hat.

→ GR 24

Zu Üb. 11, Seite 67

Präteritum

Wir schlagen vor die Bildung der Präteritum-formen so zu erklären (zur Begründung vgl. → GR 10):

Es gibt zwei Hauptgruppen von Verben, die sich durch die Art der Bildung des Präteritums (und der Partizipien II) unterscheiden:

a) schwache (regelmäßige) Verben

Der Präteritumstamm wird gebildet, indem an den Präsensstamm *-te* angehängt wird, z. B.:

Tafelbild

Infinitiv   Präsensstamm   Präteritumstamm

verdienen → *verdien-* → *verdiente-*

An den Präteritumstamm werden dann folgende Personalendungen angehängt:

Tafelbild

	Präteritum	*Präsens*
ich	*verdiente-ø*	*verdien-e*
du	*verdiente-st*	*verdien-st*
er/sie/es	*verdiente-ø*	*verdien-t*
wir	*verdiente-n*	*verdien-en*
ihr	*verdiente-t*	*verdien-t*
sie/Sie	*verdiente-n*	*verdien-en*

b) starke (unregelmäßige) Verben

Der Präteritumstamm wird unregelmäßig gebildet und muss für jedes Verb extra gelernt werden, z. B.:

Tafelbild

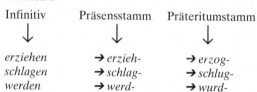

Infinitiv   Präsensstamm   Präteritumstamm

erziehen → *erzieh-* → *erzog-*
schlagen → *schlag-* → *schlug-*
werden → *werd-* → *wurd-*

Es werden an den Präteritumstamm dann dieselben Personalendungen wie bei den regelmäßigen bzw. schwachen Verben angefügt; mit der Besonderheit, dass in der 1. und 3. Person Plural aus lautlichen Gründen in die Endung ein *e* eingefügt werden muss.

Tafelbild

	Präteritum		Präsens	
ich	erzog-ø	schlug-ø	erzieh-e	schlag-e
du	erzog-st	schlug-st	erzieh-st	schläg-st
er/sie/es	erzog-ø	schlug-ø	erzieh-t	schläg-t
wir	erzog-en	schlug-en	erzieh-en	schlag-en
ihr	erzog-t	schlug-t	erzieh-t	schlag-t
sie/Sie	erzog-en	schlug-en	erzieh-en	schlag-en

Wie man sieht, ist diese Unterscheidung zwischen schwachen und starken Verben nicht genau identisch mit der in den bekannten Schulgrammatiken. Sie ist jedoch hilfreicher, weil Lerner die verschiedenen Arten der Stammänderung nicht oder nur schwer identifizieren können. Alle Verben, die ihren Präteritumstamm nicht wie die schwachen Verben mit *-te* bilden, werden unterschiedslos als gleich unregelmäßig wahrgenommen.

Das Präteritum wird zum einen bei der Schilderung von Ereignissen und Zuständen verwendet, die als Hintergrundinformation für andere Mitteilungen gedacht sind und für die eigentlich geschilderten Ereignisse keine unmittelbare Bedeutung haben, z. B.:

Gestern abend, als ich nach Hause <u>fuhr</u>, habe ich Herbert gesehen, er <u>kam</u> gerade aus einem Restaurant und <u>wollte</u> ein Taxi rufen. Ich habe gehupt, aber er hat mich nicht erkannt.

Zum anderen verwendet man es in zusammenhängenden Schilderungen in sich abgeschlossener Ereignisse der Vergangenheit wie im Text „Fünf Generationen auf dem Sofa."

Im Gegensatz dazu gebraucht man das Perfekt zur Schilderung von Ereignissen, die einen konkreten Bezug für das gegenwärtige Leben haben.

In der Praxis der gesprochenen Sprache ist die Abgrenzung zwischen Perfekt und Präteritum nicht immer sehr scharf.

→ GR 25

**Zum Text „Fünf Generationen auf dem Sofa",
Seite 68/69 und AB Üb. 21, 23, Seite 65, 66**

Temporalsätze mit *als* und *wenn*

In Satzgefügen mit Temporalsätzen mit *als* werden Ereignisse der Vergangenheit beschrieben. Der Sachverhalt des Temporalsatzes besteht gleichzeitig mit dem Sachverhalt des Hauptsatzes. Im Normalfall steht im Temporalsatz das Präteritum, während im Hauptsatz das Präteritum oder das Perfekt verwendet werden kann, z. B.:

Als Adele 15 Jahre alt war, kam sie in eine Mädchenschule. oder *..., ist sie in eine Mädchenschule gekommen.*

(Die Verwendung anderer Zeitformen der Vergangenheit und Zeitfolgen ist möglich, aber dies ist kein Lernziel der Grundstufe.)

Lernern, deren Muttersprache keinen Unterschied zwischen *als* und temporalem *wenn* kennt, ist diese Unterscheidung schwer zu vermitteln. Man verwendet *als*, wenn es sich bei der Verbindung der Sachverhalte in Haupt- und Nebensatz um einen einmaligen Vorgang in der Vergangenheit handelt. Kommt der Zusammenhang regelmäßig oder häufiger vor, verwendet man *wenn*. Satzgefüge mit temporalem *wenn* können im Gegensatz zu solchen mit *als* auch Sachverhalte in der Gegenwart beschreiben.

85

Folgendes Beispiel macht den Bedeutungsunterschied deutlich:

*Wenn Sandra uns störte, lachten die Erwach-
senen.* (Es passierte häufiger, dass Sandra
störte.)

*Als Sandra uns störte, lachten die Erwach-
senen.* (Es passierte nur einmal, dass Sandra
störte.)

→ GR 26

Zu Üb. 2, Seite 75

es als unpersönliches Pronomen

In Wetterangaben und anderen unpersönlichen
Ausdrücken wie *es stimmt, es geht, es gibt, es
klappt* usw. hat das Wort *es* keine eigene Bedeutung; es vertritt kein Nomen, kann durch
kein Nomen ersetzt werden und an seiner
Stelle kann auch kein anderes Nomen stehen.
Davon zu unterscheiden ist das „echte" Personalpronomen *es*, das für ein Nomen steht.

→ GR 27

Zu AB Üb. 15, Seite 74

Zeitangaben im Akkusativ

Zeitausdrücke ohne Präpositionen, die Zeit-
punkte (*wann?*), Zeiträume (*wie lange?*) oder
Häufigkeit (*wie oft?*) ausdrücken, stehen immer im Akkusativ. Um den Unterschied zu
Zeitangaben mit Präpositionen (*in, an, um +
DATIV, für + AKKUSATIV*) deutlich zu machen kann folgendes Tafelbild benutzt werden:

Tafelbild

der Monat		die Woche		das Jahr	
letzten	Monat	letzte	Woche	letztes	Jahr
im letzten	Monat	in der letzten	Woche	im letzten	Jahr
vorig-		vorig-		vorig-	
im vorig-		in der vorig-		im vorig-	
nächst-		nächst-		nächst-	
im nächst-		in der nächst-		im nächst-	
dies-		dies-		dies-	
in dies-		in dies-		in dies-	
jed-		jed-		jed-	
in jed-		in jed-		in jed-	

KT die fehlenden Formen ergänzen lassen.

→ GR 28

Zum Quiz Seite 79

Relativsatz

Ein Relativsatz gibt eine Zusatzinformation zu einem Nomen und antwortet auf die Frage *welcher?* oder *was für ein?*. Er hat also eine ähnliche attributive Funktion wie ein Adjektiv, ein Nomenzusatz oder eine Phrase mit Präposition und Nomen, z. B.:

Tafelbild

Welche Insel?

– die <u>Nordsee</u>insel	(Nomenzusatz)
– die <u>größte</u> Nordseeinsel	(Adjektiv)
– die Insel <u>in der Nordsee</u>	(Phrase mit Präp. u. Nomen)
– die Insel, <u>die in der Nordsee liegt</u>	(Relativsatz)

Relativsätze sind Teil des Hauptsatzes, besetzen dort selbst aber keine Stelle, sondern sind Attribute zu Nomen in verschiedenen Satzteilen, z. B.:

Tafelbild

Subjekt	Verb	Ergänzung
Die Insel	*heißt*	*Sylt.*
Die Insel, die in der Nordsee liegt,	*heißt*	*Sylt.*

Der Relativsatz selbst hat die bekannte Struktur eines Nebensatzes, die Personalform des Verbs steht also an der Stelle Verb₁ im Nebensatz am Ende des Satzes. Er beginnt immer mit einem Relativpronomen bzw. einem Relativpronomen mit davorgesetzter Präposition. Anders als beim Nebensatz mit Subjunktor ist das Relativpronomen Teil des Satzes, steht also nicht außerhalb des Satzschemas, sondern immer im Vorfeld.

Die Relativpronomen haben die gleichen Formen wie die Definitpronomen.

→ GR 29

Zu Üb. 4, Seite 87

lassen + Infinitiv

Das Verb *lassen* steht wie die Modalverben mit dem reinen Infinitiv ohne *zu*. Für manche Ausgangssprachen sind die Verwendungsunterschiede zu beachten: *lassen* im Sinne von *zulassen* und im Sinne von *veranlassen*. Sätze mit *lassen* + *INFINITIV* können eine oder zwei Ergänzungen haben, z. B.:

Ich lasse	*morgen <u>das Auto</u> waschen.*	*(= veranlassen)*
Ich lasse <u>meinen Sohn</u>	*morgen <u>das Auto</u> waschen.*	*(= zulassen)*

Lassen im Imperativ und mit einem Pronomen in der ersten Person ist ein Sonderfall der Bedeutung *zulassen*, nämlich ein Ausdruck der Bereitschaft, eine Aufgabe zu übernehmen, z. B.:

Lassen Sie mich das machen! oder *Lass mich das Visum beantragen!*

→ GR 30

Zu Üb. 6, Seite 89

zum + Infinitiv

Der nominalisierte Infinitiv mit *zum* drückt einen Zweck aus; er antwortet also auf die Frage *wozu*. Stattdessen kann man auch einen Nebensatz verwenden, z. B.:

Zum Kochen braucht man unbedingt Salz und Pfeffer.
Wenn man kocht, braucht man unbedingt Salz und Pfeffer.

→ GR 31

Zu Üb. 7, Seite 90

a) Indirekter Fragesatz (Wortfrage) mit Fragewort

Fragewörter vertreten Satzteile, sie sind daher Teil des Satzschemas und stehen immer im Vorfeld. Bei der Umformung einer direkten in eine indirekte Frage bleiben alle Satzelemente an ihrer Stelle außer der Personalform des Verbs. Diese tritt an das Satzende, an die Stelle Verb₁ im Nebensatz.

b) Indirekter Fragesatz (Satzfrage) mit *ob*

Fragen ohne Fragewort werden in der indirekten Form von dem Subjunktor *ob* eingeleitet, der außerhalb des Satzschemas steht. Auch hier steht die Personalform des Verbs am Satzende und die anderen Elemente bleiben an ihrer Stelle.

Die übergeordneten Sätze zu einer Satzfrage mit *ob* sind Ausdrücke des Zweifels und des Nicht-Wissens, die zum großen Teil auch Nebensätze mit *dass* einleiten können. Allerdings ergeben sich hier wichtige Bedeutungsunterschiede:

Ich wusste nicht, dass sie blond ist.
(Sie ist blond. Das wusste ich nicht, aber jetzt weiß ich es.)

Ich wusste nicht, ob sie blond ist.
(Ich wusste und weiß auch heute nicht, welche Haarfarbe sie hat.)

→ GR 32

Zu Üb. 9, Seite 92

Infinitivsatz mit *um ... zu*

Mit einem Infinitivsatz mit *um ... zu* wird der Zweck einer Handlung ausgedrückt. Das einleitende Wort *um* steht wie ein Subjunktor außerhalb des Satzschemas, der Infinitiv mit *zu* immer an der zweiten Verbstelle am Ende des Satzes. Das Subjekt des Infinitivsatzes und des zugehörigen Hauptsatzes sind identisch, es wird deshalb im Infinitivsatz nicht wiederholt. Die Subjektstelle bleibt also leer.

→ GR 33

Zu Üb. 15, Seite 95

um ... zu und *damit*

Genauso wie der Infinitivsatz mit *um ... zu* drückt der finale Nebensatz mit *damit* den Zweck einer Handlung aus. Einen Infinitivsatz mit *um ... zu* kann man nur dann verwenden,

wenn sein Subjekt und das des Hauptsatzes identisch sind. Ist das Subjekt in Haupt- und Nebensatz verschieden, <u>muss</u> man einen Nebensatz mit *damit* verwenden. Ist das Subjekt in Haupt- und Nebensatz gleich, kann man zwischen beiden Satzformen wählen.

a) gleiches Subjekt

> *Familie Neudel will auswandern um*   *in Paraguay freier zu leben.*
> *Familie Neudel will auswandern, damit sie* *in Paraguay freier leben kann.*

b) verschiedene Subjekte

> *Familie Neudel will auswandern, damit Herr Neudel mehr verdient.*

→ GR 34

Zu Üb. 4, Seite 99

Präpositionen: Kasus, lokale und nicht-lokale Präpositionen, Präpositionalergänzungen

Die Behandlung der Präpositionen ist auf verschiedene Bereiche der Lektion im Kursbuch und Arbeitsbuch verteilt.

Während Präpositionen bisher in erster Linie zur Angabe räumlicher Beziehungen benutzt wurden, werden sie in dieser Lektion in lokaler und nicht-lokaler (vor allem temporaler) Funktion präsentiert. Präpositionen bieten zwei Schwierigkeiten:

- die Verwendung des richtigen Kasus (Arbeitsbuch-Übungen 4, 18, 19, Seite 97, 102–103),
- die Auswahl der richtigen Präposition je nach Bedeutungszusammenhang oder Abhängigkeit von einem übergeordneten Verb, Nomen oder Adjektiv (Arbeitsbuch-Übungen 1, 3, 7, 10, 11, 14, 15, 17, Seite 96, 98–102).

Die Anzahl der Präpositionen, denen ein einziger Kasus fest zugeordnet ist, ist durchaus überschaubar; sie sind also lernbar und die KT

sollten sie immer im Kopf haben (§ 15). Eine Besonderheit stellen *wegen* und *während* dar. Traditionell werden diese Präpositionen mit dem Genitiv gebraucht. In der modernen Umgangssprache setzt sich ihre Verwendung mit dem Dativ allerdings immer mehr durch, vor allem bei Pluralformen, bei denen der Genitiv nicht ohne weiteres erkennbar ist. Auf diesen Umstand sollte man hinweisen und die Verwendung dieser beiden Präpositionen mit Dativ folglich nicht als Fehler ansehen.

Soweit die Wechselpräpositionen lokale Bedeutung haben, richtet sich ihre Kasusverwendung nach den aus Band 1 bekannten Kriterien (*situativ* oder *direktiv*; vgl. Lehrerhandbuch Band 1, Teil B, **→ GR 25, 26**).

In lokaler Funktion antworten präpositionale Ausdrücke auf die Fragen *wo?, wohin?, woher?* und *auf welchem Weg?*, in temporaler Funktion auf die Fragen *wann?* oder *wie lange?* In ihrer wörtlichen (lokalen oder temporalen) Bedeutung sind Präpositionen häufig nicht mehr erkennbar, wenn sie als Ergänzungen von Verben, Nomen oder Adjektiven auftreten. Während die Präposition in Ausdrücken wie

eine Reise nach ... / eine Zugfahrt durch ...
eine Demonstration für ... / eine Demonstation
gegen ...

eine plausible Bedeutung hat, kann sie in
anderen Ausdrücken wie

enttäuscht sein über ... / typisch sein für ...
denken an ... / hoffen auf ... / fragen nach ... usw.

semantisch nicht deutlich erklärt werden.
Solche Ausdrücke müssen einzeln gelernt werden. Auch die Kasusverwendung muss hier
mitgelernt werden, da lokale Unterscheidungs-
kriterien hier keinen Sinn machen.

In den letztgenannten Fällen gehen die Präpositionen mit Verben, Nomen oder Adjektiven
feste Verbindungen ein: sie sind präpositionale

Ergänzungen (→ GR 14). Da in dieser Lektion
nur relativ wenige präpositionale Ergänzungen
von Nomen und Adjektiven erscheinen, sind
diese in der Grammatikübersicht § 18 aufge-
listet. Präpositionale Ergänzungen von Verben
sind wesentlich zahlreicher und in der Grammatikübersicht § 34/35 dargestellt. Auch die
Ausdrücke sollen die KT sich bis zum Ende
von Band 2 eingeprägt haben. Das geschieht
allerdings sinnvollerweise nicht durch das sture
Auswendiglernen formaler Listen, sondern
durch die Memorierung von Modellsätzen und
vor allem durch die häufige Anwendung in
einem sinnvollen Kontext.

→ GR 35

Zu Üb. 7, Seite 101

Zusammengesetzte und abgeleitete Normen

Aufgrund zahlreicher Möglichkeiten zur Wort-
zusammensetzung und -ableitung ist der deutsche Wortschatz äußerst produktiv. Für Lerner
der Sprache ist dieser Umstand aber oft verwir-
rend, da sie mit langen Wortgebilden konfron-
tiert werden und es vorkommen kann, dass
durch Ableitung oder Zusammensetzung Wörter spontan gebildet werden, die im Wörter-
buch in dieser Form nicht zu finden sind. In
Zeitungstexten kommen solche Wörter besonders häufig im politischen Fachwortschatz vor,
aber auch in der Allgemeinsprache sind sie
nicht selten. Die Texte im KB Seite 101 bieten
einen Anlass, sich einmal genauer mit den
Grundzügen der Wortbildung bei Nomen zu
befassen. Jedoch geht es an dieser Stelle vor
allem darum das Textverständnis zu erleichtern
und erste Einblicke in die Verfahren der Lexik
zu vermitteln, nicht aber um Anleitung zur
eigenen Wortschöpfung durch die KT oder um
die Vermittlung von Regeln. Aus diesem

Grund wurde auf einen eigenen Grammatik-
paragraphen verzichtet. Eine systematische
Beschäftigung mit der Wortbildung findet in
Band 3 statt.

Vorschlag zum methodischen Vorgehen:

KL fordert die KT auf, aus den Texten auf
Seite 101 Nomen zu nennen, in denen sie Teile
anderer Wörter wiedererkennen. KL notiert
die Wörter an der Tafel nach den Kategorien
Zusammensetzung und *Ableitung* geordnet,
z. B.:

Zusammensetzung	Ableitung
der Bundestag	*die Änderung*
der Bundesrat	*die Meinung*
das Bundesland	*der Vorschlag*
der Bundeskanzler	*der Beschluss*
...	*die Wahl*
der Ministerpräsident	*der Wunsch*
der Wirtschaftsminister	...
der Staatsbesuch	
die Geldprobleme	
...	

Bei den Wortzusammensetzungen sollen die KT in erster Linie lernen die Einzelbestandteile, aus denen ein Wort zusammengesetzt ist, zu erkennen. Die KT werden aufgefordert Trennstriche zwischen den Wortbestandteilen zu ziehen. Im Kursgespräch sollte dann klar werden, dass jeweils der letzte Bestandteil das Basiswort darstellt, nach dem sich das Genus richtet und das durch die vorangehenden Wortteile spezifiziert wird. Vorsichtige Definitionsversuche, die von der Wortzerteilung ausgehen, können je nach Kurs schon gewagt werden, z. B.:

Der Wirtschaftsminister ist der Minister für Wirtschaft.
Ein Staatsbesuch ist ein Besuch in einem anderen Staat. usw.

Auf keinen Fall sollte man der Versuchung erliegen die Verwendung von Fugenzeichen (*-s, -n*) zu erklären. Eine systematische, sinnvolle Regel lässt sich dafür hier nicht angeben.

Bei Wortableitungen sollen die KT vor allem die Stammsilbe erkennen und mit anderen, vom gleichen Stamm abgeleiteten Wörtern assoziieren können, z. B.:

Änderung	➔ *ändern*
Vorschlag	➔ *vorschlagen*
Beschluss	➔ *beschließen*
Wunsch	➔ *wünschen*

An den beiden letzten Beispielen wird übrigens deutlich, dass der Vokalwechsel ein in der Wortbildung häufig auftretendes Phänomen ist, das bei der Erkennung von Stammsilben berücksichtigt werden muss. Nach Bearbeitung der Übung 6 im Arbeitsbuch können die KT vorläufig festhalten, dass man von Verben abgeleitete Nomen entweder an der Stammsilbe oder evtl. an einer typischen Endung wie *-ung* oder *-ion* erkennen kann, wodurch sich in den meisten Fällen die Bedeutung des betreffenden Wortes erschließt, sofern das zugrundeliegende Verb bekannt ist.

➔ GR 36

Zu Üb. 2, Seite 111

Reflexivpronomen im Dativ

In Lektion 3 wurden reflexive Verben mit Reflexivpronomen im Akkusativ eingeführt (➔ GR 14). Hier kommen Verben mit Dativergänzung hinzu, die reflexiv gebraucht werden können. Auch hier sollte auf den Unterschied zwischen Personalpronomen und Reflexivpronomen aufmerksam gemacht werden:

Er hilft ihm. / Er hilft sich.
Sie hilft ihr. / Sie hilft sich.

Zur Vorbereitung der Stellungsregeln bei mehreren Pronomen, die in Lernschritt 3 der Lektion vermittelt werden, werden die verschiedenen Formen der Personal-, Definit- und Reflexivpronomen wiederholt (Arbeitsbuch, Übungen 3 bis 5, Seite 106/107).

→ LK 1

Zu Seite 12

Die meisten der „Spruchweisheiten" repräsentieren traditionelle Vorurteile über den Zusammenhang von Aussehen und Charaktereigenschaften. Diese Sprüche sind in Deutschland allgemein bekannt, aber natürlich ist nicht jeder von ihrem Wahrheitsgehalt überzeugt.

Zur Erläuterung zweier „Weisheiten", die nicht ohne weiteres verständlich sind: „Ein voller Bauch studiert nicht gern" will sagen: „Wer im Überfluss lebt, wird geistig unbeweglich". Die Metapher „Stille Wasser sind tief" bedeutet: „Eine ruhige und zurückhaltende Person hat besonders wertvolle Charaktereigenschaften, wie z. B. Sensibilität und Klugheit".

→ LK 2

Zu Seite 17

Der Fall von Heinz Kuhlmann ist kein typisches Beispiel für die Praxis der Arbeitsämter in Deutschland, sonst wäre er ja auch für die Presse nicht interessant gewesen. In der Regel entscheiden die Angestellten der Arbeitsämter nach den formalen rechtlichen Bedingungen, ohne subjektive Interpretation.

Arbeitslosengeld bekommt jeder, der mindestens ein Jahr lang gearbeitet und in dieser Zeit Arbeitslosenversicherungsbeiträge bezahlt hat. Der Arbeitslose muss persönlich einen Antrag auf Arbeitslosengeld stellen und „der Arbeitsvermittlung zur Verfügung stehen", das heißt, er muss an seinem Wohnort erreichbar sein. Das Arbeitslosengeld beträgt knapp 70 % des früheren Nettolohns.

Wer – wie Heinz Kuhlmann – durch eigene Kündigung arbeitslos wird, erhält zumeist in den ersten zwei bis drei Monaten seiner Arbeitslosigkeit kein Arbeitslosengeld. Wie lange Arbeitslosengeld bezahlt wird, hängt von der

Dauer der Beschäftigung ab; die Höchstdauer beträgt etwa ein Jahr. Danach kann der Arbeitslose unter bestimmten Umständen Arbeitslosenhilfe erhalten, die aber niedriger als das Arbeitslosengeld ist. Das Arbeitsamt versucht dem Arbeitslosen eine neue Stelle zu vermitteln, die allerdings seiner Ausbildung und bisherigen beruflichen Stellung in etwa angemessen sein muss. (Einem Ingenieur z. B. würde man keine Arbeit im Straßenbau zumuten.) Bis zu drei Angebote des Arbeitsamtes kann der Arbeitslose ablehnen, danach wird Arbeitsunwilligkeit angenommen und die Zahlung des Arbeitslosengeldes eingestellt.

→ LK 3

Zu Seite 24

In aller Regel sind junge Menschen heute in Deutschland frei sich ihren Beruf selbst zu wählen. Sicher sind nur wenige bereit dem Wunsch ihrer Eltern zu folgen, wenn er von ihrem eigenen abweicht. Insofern ist der Fall von Florian Gansel nicht ganz typisch, der den Bauernhof seiner Eltern übernehmen „musste".

Aus soziologischer Sicht hat sich die Einstellung zum Beruf in den letzten Jahrzehnten stark verändert. Früher war der persönliche Glücksanspruch auf den privaten, den familiären Bereich bezogen; die Arbeit war notwendige Last und diente dem Broterwerb. Die junge Generation, hier idealtypisch durch Paula Mars vertreten, erwartet heute vom Beruf auch „Spaß" und persönliche Befriedigung. Dies gilt vor allem für Berufe mit einer längeren Ausbildungszeit.

→ LK 4

Zu Seite 26

Die graphische Darstellung der Schularten ist der Übersichtlichkeit wegen etwas vereinfacht. Kompliziert würde eine exakte Darstellung vor allem durch länderspezifische Unterschiede, die sich daraus ergeben, dass nach der föderalistischen Verfassung Deutschlands die Schulpolitik in der Verantwortung der Bundesländer liegt. Zwar sind die Schulformen in den Bundesländern vergleichbar, aber jedes Land besteht auf seinem Recht spezielle Regelungen einzuführen. Dies führt z. B. dazu, dass jedes Land spezifische Lehrpläne und Schulbücher hat. Es gibt in Deutschland deshalb auch keine zentralen Abschlussprüfungen, obwohl sie dieselben Namen haben. Sie sind jedoch, bis auf ein paar Ausnahmen, in ganz Deutschland anerkannt. Die Unterschiede in den Schulformen und Lehrplänen führen dazu, dass Kinder, die wegen eines Umzugs von einem Bundesland in ein anderes die Schule wechseln müssen, nicht selten Anpassungsprobleme haben. Sehr deutlich werden die Unterschiede auch in Art und Verbreitung der sogenannten Gesamtschulen, die seit Anfang der siebziger Jahre eine Alternative zum traditionellen dreigliedrigen Schulsystem darstellen. Um diesen neuen Schultyp hat es heftige öffentliche Diskussionen gegeben, mit dem Resultat, dass jetzt – je nach Bundesland im prozentualen Anteil sehr unterschiedlich – drei Schultypen nebeneinander bestehen. Zunächst besuchen alle Kinder ab dem sechsten Lebensjahr für vier Jahre die Grundschule. Danach gibt es folgende Varianten:

1. Das dreigliedrige Schulsystem, in dem die Kinder, je nach Schulleistung und Elternwunsch, drei verschiedene weiterführende Schulen besuchen können, nämlich die Hauptschule (für 5 Jahre) oder die Realschule (für 6 Jahre) oder das Gymnasium (für 9 Jahre). Idealtypisch soll die Hauptschule auf die handwerklich-praktischen Ausbildungsberufe vorbereiten; die Realschule zielt mehr auf Büro- und kaufmännische Berufe, und das Gymnasium dient in erster Linie der Vorbereitung auf ein Universitätsstudium.

2. Die „additive Gesamtschule" beginnt mit der sogenannten Förderstufe (5. und 6. Klasse), in der die Kinder in den Leistungsfächern Deutsch, Mathematik und Englisch in Kurse mit drei unterschiedlichen Leistungsniveaus (A, B und C) eingeteilt werden, die anderen Unterrichtsfächer aber im Klassenverband gemeinsam haben. Am Ende der Förderstufe wird durch die Lehrerkonferenz vorgeschlagen, welchen Schulzweig das Kind besuchen sollte. Die Schulzweige entsprechen dann wieder den traditionellen, unter 1. genannten. Durch die additive Gesamtschule wird vor allem die räumliche Trennung der Schüler verschiedener Schularten aufgehoben.

3. Die „intergrierte Gesamtschule" beginnt wie die additive Gesamtschule mit der Förderstufe. Danach teilt man die Schüler jedoch nicht nach Schulzweigen wie unter 1. und 2. ein, sondern jeweils in den verschiedenen Fächern nach drei Leistungsstufen. Nur wenige Fächer werden noch im Klassenverband unterrichtet. Die Schüler können je nach Leistungsentwicklung zwischen den Leistungsstufen in einem Fach wechseln. Über die Zeitdauer des Schulbesuchs und die Form des Abschlusses wird nach einem Punktsystem entschieden.

Auch diese Übersicht kann wieder nur modellhaft sein, weil in der Praxis alle möglichen Mischformen existieren.

Während noch vor wenigen Jahren über die Hälfte der Schüler nach der Grundschule die Hauptschule besuchten, haben sich die Zahlen mittlerweile stark zugunsten der anderen weiterführenden Schulen verschoben. Heute besucht fast ein Drittel aller Schüler das Gymnasium, jeweils ein Viertel Realschule und Hauptschule und etwa 17 % eine Form der Gesamtschule. Das hat – wie in vielen westlichen Industriestaaten – zu einer „Akademikerschwemme" geführt.

Die neuen Bundesländer (ehemalige DDR) haben sich nach der Wiedervereinigung dem

Schulsystem der alten BRD im Wesentlichen angepasst. In einer noch bestehenden Übergangszeit wird in diesen Bundesländern das Abitur allerdings schon nach 12 Schuljahren erreicht.

Privatschulen spielen zahlenmäßig in Deutschland eine geringe Rolle. Sie bedürfen einer staatlichen Anerkennung und sind im Gegensatz zu den öffentlichen Schulen nicht immer kostenfrei.

→ LK 5

Zu Seite 27

Generell gilt in Deutschland ein Zeugnisnotensystem von 1 bis 6, wobei 1 die beste und 6 die schlechteste Note ist. Allein für die Oberstufe der höheren Schulen, also für die Klassen 11 bis 13, gibt es zur Bewertung der Schülerleistungen ein Punktesystem von 0 bis 15 Punkten. Hier entsprechen 0 Punkte der schlechtesten Leistung und 15 Punkte der besten. Das Punktesystem wurde in den siebziger Jahren im Zuge einer sogenannten Oberstufenreform eingeführt, die den traditionellen Klassenverband aufhebt und den Schülern erlaubt Fächer nach ihrer Wahl zu belegen. Die Entscheidung über Versetzung bzw. Erhalt des Abiturs ist an das Erreichen einer Mindestpunktzahl geknüpft. Der „Wert" der Punkte entspricht jedoch dem allgemeinen Notensystem. (siehe Vorlage 18)

→ LK 6

Zu Übung 11, Seite 28

Die Schulmüdigkeit des 15jährigen Manfred ist für seine Altersgruppe sicher nicht untypisch. Seine Ankündigung mit der Schule aufzuhören, ist aber wohl eher ein pubertärer Versuch seine Eltern zu erschrecken. Es passiert nur selten, dass ein Schüler mit ausreichenden Schulleistungen die Schule ohne Abschluss verlässt.

Mit der fortschreitenden Tendenz zum Besuch weiterführender Schulen haben sich auch die Zugangsvoraussetzungen zu vielen Berufen in der Praxis geändert. Realschüler und Abiturienten bewerben sich heute um Ausbildungsstellen, die früher nur von Hauptschulabgängern genutzt wurden. In dieser Konkurrenzsituation hätte Manfred ohne einen qualifizierten Schulabschluss schlechte Chancen.

→ LK 7

Zu Seite 29

Die stetige Zunahme der Abiturienten hat – wie in vielen anderen Ländern – zu einer Akademikerschwemme geführt. Was zunächst nur für die Geisteswissenschaftler galt, trifft mittlerweile die Studenten fast aller Fachrichtungen, eingeschlossen Mediziner, Juristen und Wirtschaftswissenschaftler. Sie beginnen ihr Studium bereits mit dem Wissen, dass ihre berufliche Zukunft höchst unsicher ist. Mit dem Anstieg der Studentenzahlen haben sich auch die Studienbedingungen verschlechtert: Überfüllte Hörsäle und Seminarräume, geringer persönlicher Kontakt zu den Hochschullehrern und verstärkter Konkurrenzdruck. Viele Studenten beklagen ein Anonymitätsgefühl in der Massenuniversität. Wer nach dem Universitätsabschluss keine Stelle findet, versucht nicht selten der Arbeitslosigkeit formal durch eine Promotion zu entgehen, wie Vera Röder im Bezugstext. In der Regel verbessert aber auch der Doktortitel die Berufsaussichten nicht.

→ LK 8

Zu Seite 31

Qualifizierte Stellenangebote finden sich vor allem in den Wochenendausgaben der größeren Tageszeitungen. In der Regel muss man sich mit Lebenslauf und Zeugnissen schriftlich um eine Stelle bewerben. Auch wenn meistens Firma und Adresse in der Anzeige genannt sind, ist es unüblich sich ohne Einladung persönlich vorzustellen.

Größere Unternehmen bieten ihren Mitarbeitern oft noch Sonderleistungen wie Betriebsrente (Zusatz zur Rente für langjährige Betriebsangehörige), Urlaubsgeld oder 13. Monatsgehalt. Betriebskindergärten für berufstätige Mütter gibt es allerdings sehr selten.

Obwohl hier in den Anzeigen nicht genannt, wird von Sekretärinnen zunehmend erwartet, dass sie Computerprogramme bedienen können.

➔ LK 9

Zu Seite 32

Petra Maurer hat sich mit einem tabellarischen Lebenslauf beworben. Diese Form hat den ausführlicheren handschriftlichen Lebenslauf weitgehend abgelöst, den man nur noch abgibt, wenn er ausdrücklich verlangt wird.

➔ LK 10

Zu Seite 36

Deutschland hat im Vergleich zu den anderen westlichen Staaten das private Fernsehen erst sehr spät zugelassen. Bis dahin gab es nur drei Programme, von denen das 1. Programm (ARD) und das 2. Programm (ZDF) im ganzen Land empfangen werden konnte und die sogenannten 3. Programme in ihren regionalen Sendegebieten. Nachts und vormittags wurde nicht gesendet, es gab keine Werbesendungen und Werbespots waren auf kurze Programmzeiten beschränkt. Insbesondere Pädagogen waren (und sind) besorgt, dass vor allem Kinder durch ein unkontrollierbares Fernsehangebot Schaden nehmen könnten.

Mittlerweile ist auch in Deutschland das Fernsehprogramm zu einer unüberschaubaren Sache geworden. Viele Haushalte können über Fernsehkabel und/oder sogenannte Satellitenschüsseln mehr als dreißig Programme empfangen und wer es möchte, kann rund um die Uhr fernsehen. Entsprechend wächst die Zahl der Fernsehzeitschriften, die sich mit verschiedenen Inhaltsschwerpunkten darum bemühen den Zuschauer bei der täglichen Qual der Wahl zu unterstützen. Die auf S. 36 ausgewählten vier Programme repräsentieren einen Satellitensender (3 Sat), einen privaten Sender (RTL) und die beiden traditionellen öffentlich-rechtlichen Programme ARD und ZDF. „Öffentlich-rechtlich" bedeutet, dass das Programm von Rundfunkräten überwacht wird, in denen die gesellschaftlich relevanten Gruppen vertreten sind (politische Parteien, Kirchen, Gewerkschaften etc.). Obwohl ARD und ZDF zunehmend unter Konkurrenzdruck geraten, haben sie im Durchschnitt immer noch die meisten Zuschauer. Sie gelten als die Sender mit dem seriöseren Programmangebot.

Während die privaten Sender ihre Kosten durch den Verkauf von Werbezeit decken, werden ARD und ZDF hauptsächlich durch die Gebühren finanziert, die jeder, der ein Rundfunk- oder Fernsehgerät hat, monatlich bezahlen muss.

➔ LK 11

Zu Seite 40

Die populären Radiosender bestreiten neben den Musikbeiträgen große Teile ihres Programms mit telefonischen Hörerkontakten. Dazu gehören Quiz- und Ratespiele, bei denen kleine Preise zu gewinnen sind; Grüße und Glückwünsche, die Hörer an Verwandte oder Freunde weitergeben können; Diskussionen zu bestimmten Themen, in die die Hörer einbezogen werden, und – wie hier – Hörerfragen an Experten.

→ LK 12

Zu Seite 41

„Wer hat die schönsten Schäfchen?" ist ein altes Volkslied, das man Kindern vor dem Einschlafen singt.

„Wenn die Elisabeth ..." war vor siebzig Jahren ein populärer Schlager; ein Evergreen, der mittlerweile fast Volksliedcharakter hat.

„Ich weiß nicht, was soll es bedeuten" ist ein Gedicht von Heinrich Heine (1797–1856), das 1838 von dem Komponisten Friedrich Silcher vertont wurde. Inhaltlich gibt es die alte Sage von der schönen Loreley wieder, die die Rheinschiffer mit ihrem Gesang betörte und ihre Schiffe zerschellen ließ. (Die „Loreley", ein Fels im Rheintal, ist heute noch eines der bekanntesten deutschen Touristenziele.)

„Mein Hut, der hat drei Ecken" wird gern von Jugendgruppen als Liedspiel gesungen. Dabei werden die Wörter „Hut" und „Ecken", „drei" und „mein" durch Pantomime ersetzt, also nicht gesungen: Für „Hut" werden die Hände spitz über dem Kopf zusammengeführt um einen Hut zu symbolisieren, mit drei ausgestreckten Fingern wird „drei" angedeutet, für „Ecke" zeigt die linke Hand auf den rechten Ellenbogen und „mein" wird durch das Deuten auf die eigene Person symbolisiert. Zunächst wird das Lied vollständig gesungen, dann wird nur das Wort „mein" pantomimisch ersetzt, beim dritten Singen die Wörter „Hut" und „mein", beim vierten Singen „mein", „Hut", „drei" und beim fünften Singen auch „Ecken". Das Lied wird dann immer schneller gesungen, und wer einen Fehler macht, muss ausscheiden.

„Heut' kommt der Hans zu mir" ist ein „Zungenbrecher", der – schnell gesungen – auch bei Muttersprachlern zu Fehlern führt.

„Wenn sich die Igel küssen" ist ein beliebtes Kinderlied, das noch viele weitere Strophen hat, die alle gleich lauten bis auf das Wort „Igel", das jeweils durch einen anderen Tiernamen ersetzt wird. „Wenn sich die Tiger (Hunde, Katzen, Enten ...) küssen, dann ..."

→ LK 13

Zu Seite 43 und 44

Die Zahl der Straßenkünstler nimmt, vor allem in den Großstädten, ständig zu. Die meisten von ihnen machen Musik irgendwelcher Art (und von sehr unterschiedlicher Qualität). Immer häufiger werden aber auch Akrobatik, Jonglieren, Feuerspeien, Sketche und Pantomime. Gute und originelle Darsteller finden oft ein großes Publikum. Vor allem in den Großstädten werden die Straßenkünstler von den Passanten im Allgemeinen gern gesehen. Anders sehen es manchmal Geschäftsleute, wie im vorliegenden Beispiel Gerd Kornfeld. Tatsächlich gibt es in den meisten Städten eine Regelung, die den Auftritt von Straßenkünstlern mehr oder weniger stark einschränkt.

→ LK 14

Zu Seite 48

Kleinwagen sind bei den Deutschen seit Jahren sehr beliebt. Der Ford Fiesta, Opel Corsa und VW Polo sind unter den 10 meistverkauften Automobilen in Deutschland zu finden. Populär wurden Kleinwagen zunächst in der Folge der Ölkrise Anfang der 70er Jahre, später sicherten sie sich ihre Stellung infolge steigenden Umweltbewusstseins und wirtschaftlich schwieriger Zeiten. Nicht selten dürfte auch die kritische Parkplatzsituation in den Großstädten ein Grund für die Kaufentscheidung sein. Für einen Autokäufer sind eine Reihe von Kosten zu bedenken, die sich neben dem reinen Verkaufspreis eines Autos aus den Vergleichskategorien des Texts „Die Minis" erkennen lassen. Dazu folgende Erläuterungen:

Der Abschluss einer KFZ-Haftpflichtversicherung ist verpflichtend. Die Schadensdeckungssumme muss dabei mindestens eine halbe Million € betragen. Damit ist gewährleistet, dass bei einem Unfall der Unfallgegner seinen Schaden vom Verursacher bezahlt bekommt. Die Höhe der Versicherungsprämie ändert sich je nach der Anzahl unfallfrei gefahrener Jahre. Ein Anfänger im Straßenverkehr zahlt 175 % der normalen Versicherungsprämie. Die Höhe der Versicherungsprämie richtet sich nach der Motorleistung des Autos: je höher die Kilowattzahl, desto teurer die Versicherung.

Die KFZ-Steuer richtet sich nach dem Hubraum und nach dem Schadstoffausstoß: 1999 musste man für je 100 cm^3 Hubraum 17 € (bei Dieselmotoren 29 €) Steuern im Jahr bezahlen, für schadstoffarme (umweltfreundliche) Autos 6 € (Diesel: 19 €).

Jedes Auto muss einmal im Jahr zur Abgasuntersuchung und alle zwei Jahre zur technischen Hauptuntersuchung beim TÜV (Technischer Überwachungsverein) gebracht werden. Jeder, der ein Kraftfahrzeug führen will, muss in einer Fahrschule Unterricht nehmen und vor einer staatlichen Stelle eine Führerscheinprüfung ablegen (Kosten incl. Unterrichtsstunden und Prüfung ca. 1000,– bis 1500,– €). Die Fahrerlaubnis wird ab 18 Jahren erteilt.

→ LK 15

Zu Seite 54

Dem Umsatz nach ist das KFZ-Gewerbe (Autofabriken, Zulieferbetriebe, KFZ-Reparatur usw.) der stärkste Gewerbezweig im produzierenden Gewerbe der Bundesrepublik Deutschland; in der Zahl der Beschäftigten steht es an dritter Stelle hinter Maschinenbau und Elektrotechnik. Die Zahl der Ausländer, die in der Autoproduktion beschäftigt sind, ist ausgesprochen hoch. In Europa steht Deutschland an erster Stelle der Automobilindustrie, nach Japan ist es der zweitgrößte Autoexporteur der Welt, hat aber auch die höchsten Lohnkosten der Welt in der Autoproduktion.

Diese Angaben zeigen die hohe Bedeutung der Autoindustrie für die deutsche Gesamtwirtschaft. Hierdurch wird aber auch deutlich, wie stark die deutsche Wirtschaft auf Schwankungen in der Autokonjunktur reagiert. Im Jahr 1993 wurden allein 1.000.000 PKWs weniger produziert als 1992, wodurch eine große Zahl von Arbeitsplätzen in kleinen und mittleren Betrieben der Zulieferindustrie in Gefahr gerieten, während seit 1994 ein neuer Aufschwung zu verzeichnen ist. Man geht davon aus, dass bis zum Jahr 2000 weiterhin durch Rationalisierungen und Produktionsänderungen etwa die Hälfte der Arbeitsplätze in der Zulieferindustrie verloren gehen wird. Um die Gefährdung der Arbeitsplätze zu verringern haben verschiedene Betriebe (z. B. VW und BMW) die Möglichkeit eingeführt, die Zahl der Arbeitsstunden pro Woche flexibel zu gestalten. Trotz der genannten Probleme sind die Ausbildungsberufe „rund ums Auto" besonders bei Jungen sehr beliebt.

→ LK 16

Zu Seite 55

Neben verschiedenen Dienstleistungsberufen ist Schichtarbeit vor allem in der verarbeitenden Industrie anzutreffen. Dies ist hauptsächlich dadurch zu erklären, dass bestimmte Maschinen rund um die Uhr laufen müssen. Der Fall des Jürgen März zeigt eine typische Regelung für Schichtarbeiter. Die genauen Vorschriften, die ein Unternehmer für die Schichtarbeit befolgen muss, sind im Arbeitszeitgesetz und im Arbeitsschutzgesetz, besonders in Bezug auf die Nachtarbeit, festgelegt. Während allgemein eine Tendenz zur Senkung der Wochenarbeitszeit (durchschnittlich 38,5 Stunden; je nach Industriezweig aber unterschiedlich) zu beobachten ist, haben die Veränderungen in Produktionsabläufen, aber auch die Konkurrenz des Auslands dazu geführt, dass in bestimmten Bereichen die früheren starren Bestimmungen über Nachtarbeit und Sonntagsarbeit in der Industrie flexibler gemacht worden sind.

→ LK 17

Zu Seite 57 Lohn-/Gehaltsabrechnung

Die Lohnabrechnung für Jürgen März enthält die z. T. im Lesetext über Schichtarbeit genannten Leistungen und für einen Arbeitnehmer typischen Abzüge. Unter den Leistungen sind neben dem regulären Arbeitslohn und den Zuschlägen für Überstunden und Schichtarbeit auch freiwillige oder durch Gewerkschaftstarif garantierte Leistungen des Arbeitgebers aufgeführt wie 13. Monatsgehalt, Urlaubsgeld, Essensgeld, Kosten für die Fahrten zum Arbeitsplatz sowie ein gesetzlich festgelegter Zuschuss des Arbeitgebers zur Vermögensbildung (der dann gezahlt werden muss, wenn der Arbeitnehmer monatlich eine feste Summe für einen Sparvertrag oder einen Bausparvertrag anlegt). Die Summe dieser Leistungen bildet den Bruttolohn. Davon abgezogen werden:

– die Lohnsteuer, die je nach Familienstand in verschiedene Klassen eingeteilt ist. So zahlt z. B. ein verheirateter Arbeitnehmer, der Kinder hat und dessen Ehepartner nicht arbeitet, wesentlich weniger Lohnsteuer als ein unverheirateter;

– die Kirchensteuer, wenn der Arbeitnehmer einer der großen Religionsgemeinschaften angehört. In deren Auftrag zieht der Staat einen bestimmten Prozentsatz der Lohnsteuer ein, der je nach Bundesland unterschiedlich ist;

– der Krankenversicherungsbeitrag, der vom Arbeitgeber direkt an die örtliche Krankenkasse gezahlt wird und zu dem er einen Zuschuss von 50 % geben muss;

– der Beitrag zur Arbeitslosenversicherung, von dem der Arbeitgeber ebenfalls 50 % bezahlt,

– der Beitrag zur Rentenversicherung. Auch hier entrichtet der Arbeitgeber die Hälfte. Die Höhe und die Zuschüsse zu den Versicherungen sind gesetzlich festgelegt.

Den verbleibenden Betrag erhält der Arbeitnehmer als Nettolohn ausbezahlt.

→ LK 18

Zu Seite 57, Haushaltsgeld – wofür?

Die angegebenen Statistiken zeigen natürlich Durchschnittswerte, die in Wirklichkeit in jedem Haushalt unterschiedlich aussehen. Hinzu kommt, dass in den Jahren nach der deutschen Vereinigung die Einkommens- und Ausgabenstruktur in West- und Ostdeutschland noch sehr verschieden ist. In der Statistik über „Haushaltskassen" fällt sofort auf, dass die Ausgabenbereiche in West- und Ostdeutschland sich im Jahr 1991 stark unterscheiden. Während das Wohnen in Ostdeutschland noch vergleichsweise billig ist, entfällt darauf in Westdeutschland der größte Teil der Ausgaben (für Miete oder Abzahlung von Wohnungseigentum). Bei den höheren Ausgaben für Kleidung und Schuhe in Ostdeutschland macht sich 1991 noch ein Nachholbedarf an Konsumartikeln in den ostdeutschen Haushalten bemerkbar. Die Relationen haben sich aber im Lauf der Jahre angeglichen. Immerhin ist festzustellen, dass die Familie März, die in Westdeutschland (Hannover) lebt und in der beide Ehepartner Arbeitslohn beziehen, über ein höheres Einkommen verfügt als der Durchschnitt. Mit 1520 € hat Herr März allein ca. 180,– mehr Nettolohn als der statistische Durchschnitt in Westdeutschland im Jahr 1991 mit 1330,– €. Dieses Mehr erkauft er sich allerdings durch Wochenend- und Nachtarbeit.

→ LK 19

Zu Seite 63

Wie in den anderen Industrienationen hat auch in Deutschland die Zahl der Geburten seit den 60er Jahren stark abgenommen. Die wichtigsten Gründe dafür sind sicher die Entwicklung und Verbreitung wirksamer Verhütungsmittel (Anti-Baby-Pille und Intra-Uterin-Spirale) und die berufliche Emanzipation der Frau. Stetig wächst die Zahl der sogenannten „spätgebärenden" Frauen, die zunächst an Ausbildung und berufliches Fortkommen denken, bevor sie jenseits des 35sten Lebensjahres ihr erstes Kind bekommen. Dazu kommt, dass sich die Vorstellung vom privaten Glück immer weniger mit den Einschränkungen verträgt, die Kindererziehung mit sich bringt.

Ein besonderes Phänomen: Seit der Wiedervereinigung der beiden deutschen Staaten ist die Zahl der Geburten in der ehemaligen DDR (neue Bundesländer) stark gesunken. Gründe dafür lassen sich nur vermuten. Soziologen sehen die Ursache in einer verbreiteten Verunsicherung in Bezug auf die materielle und berufliche Zukunft. Zudem lag die Kindererziehung in der ehemaligen DDR weitgehend in staatlichen Händen. Fast alle Frauen waren berufstätig und konnten ihre Kinder schon im Säuglingsalter tagsüber in Kinderkrippen abgeben. Diese Einrichtungen sind im wiedervereinigten Deutschland selten und auch für die älteren Kinder gibt es nicht genug Kindergartenplätze.

→ LK 20

Zu Seite 64

Während es eine Zeitlang modern war eher formlos zu heiraten, kehren die Paare heute eher wieder zu den alten Traditionen zurück (Hochzeit in festlicher Kleidung, Familienfeier, Hochzeitsreise). Auch der sogenannte Polterabend, der ausgelassene Abschied vom

Junggesellenleben am Abend vor der Hochzeit, erlebt eine Renaissance. Der Romantik wegen heiraten wieder mehr Paare kirchlich, auch solche, die eigentlich nicht religiös sind. Die kirchliche Heirat allein genügt in Deutschland übrigens nicht. Um offiziell als verheiratet zu gelten muss man „standesamtlich" heiraten, d. h. die Trauung von einem Staatsbeamten vollziehen lassen.

Der alte Brauch der Verlobung wird nur noch in bürgerlich-konservativen Kreisen praktiziert oder von Paaren, die sich die zusätzlichen Geschenke nicht entgehen lassen möchten. Noch vor zwei Generationen verlobten sich alle Paare, die heiraten wollten. Das schützte vor allem die Frau vor dem Verdacht des unmoralischen Lebenswandels, da es sich für sie nicht schickte ohne Eheversprechen längere Zeit mit einem Mann befreundet zu sein. Zudem gab die Verlobung dem Paar gewisse Freiheiten im Umgang miteinander. In den heutigen Zeiten freizügiger Sexualität hat dieser Brauch seinen Sinn weitgehend verloren. Wer dennoch Verlobung feiert, lädt dazu Verwandte und Freunde ein und tauscht die sogenannten Verlobungsringe aus. Für die Frau ist das traditionell ein Brillantring, der später zusammen mit dem Ehering getragen wird.

→ LK 21

Zu Seite 67

(Vgl. auch LK 19 und 20) Abgesehen von ländlichen Gegenden gehört die Großfamilie in Deutschland längst der Vergangenheit an. Auch ein regelmäßiger Kontakt zu entfernteren Verwandten ist eher die Ausnahme als die Regel. Nicht selten sieht sich ein größerer Verwandtschaftskreis nur noch aus Anlass einer Beerdigung oder Hochzeit. Eltern und Kinder halten dagegen meist an einer engeren Beziehung fest, auch wenn die Kinder oft nach der Volljährigkeit das Elternhaus verlassen.

Die früher häufig sehr rigiden Erziehungsmethoden sind heute in vielen Familien durch ein eher partnerschaftliches Verhältnis zwischen Eltern und Kindern abgelöst worden. Schon Jugendliche haben in der Regel große Freiräume und nicht wenige Eltern gestatten ihrem Sohn bzw. ihrer Tochter den gemeinsamen Urlaub oder Übernachtungen mit einem Partner. Während ein uneheliches Kind früher als Katastrophe galt, geht man heute damit eher pragmatisch um.

Die Zahl der Lebensgemeinschaften ohne Trauschein nimmt in allen Altersgruppen ständig zu und ist mittlerweile weitgehend gesellschaftlich akzeptiert. Zugleich steigen die Scheidungsraten; zur Zeit wird im Durchschnitt jede dritte Ehe geschieden.

Ein neues Modewort aus dem Englischen ist „Singles" für die zunehmende Zahl der Alleinlebenden im mittleren Lebensalter, die vor allem in Großstädten wohnen.

→ LK 22

Zu Seite 78

An den touristischen Hauptreisezielen Deutschlands trifft man neben Einheimischen und europäischen Nachbarn vor allem Amerikaner und Japaner an, besonders in den Sommermonaten Juni, Juli und August, die klimatisch am günstigsten sind. Ausländische Touristen konzentrieren sich eher auf den Süden, wobei Bayern mit seinen Königsschlössern, Seen und seiner weltbekannten Hauptstadt München neben den Weinstädtchen an Rhein und Mosel und, nicht zu vergessen, der alten Universitätsstadt Heidelberg wohl die Hauptmagneten sind. Deutsche Touristen, die im Land bleiben wollen, entdecken zunehmend den Norden als Reiseziel. Als besonders exklusiv gilt die Insel Sylt, wo sich in den Sommermonaten viel deutsche Prominenz trifft. Trotz unsicherer Witterungsverhältnisse besuchen die Deutschen auch gern die Strände

von Ost- und Nordsee und deren vorgelagerte Inseln.

→ LK 23

Zu Seite 81

Das Umweltbewusstsein der Deutschen nimmt stetig zu und gleichzeitig auch die Furcht vor Umweltgefahren aller Art. (Vor allem der katastrophale Atomunfall von Tschernobyl im Mai 1986 hinterließ einen nachhaltigen Eindruck.)

Im Zuge dieser Entwicklung wird es für Städte und Gemeinden immer schwieriger, der wachsenden Müllflut durch die Einrichtung von neuen Mülldeponien bzw. Verbrennungsanlagen zu begegnen. Sie müssen damit rechnen, dass ihre Planung durch den Protest von Bürgerinitiativen vereitelt wird, die eine Vergiftung ihres Lebensraums befürchten.

Entstanden ist das Müllproblem vor allem durch die ständig wachsende Zunahme des Warenangebotes bei Konsumgütern.

Seitdem man nicht mehr weiß, wie man der Müllflut Herr werden kann, versucht man das Problem durch verschiedene Maßnahmen zur Müllreduzierung bzw. durch partielles Müllrecycling in den Griff zu bekommen.

→ LK 24

Zu Seite 82

Mittlerweile gibt es eine (regional sehr unterschiedliche) Form der Mülltrennung in fast allen Städten und Gemeinden Deutschlands. Wiederverwertbare Abfälle werden in sogenannten Wertstofftonnen oder großen Kunststoffsäcken gesammelt; oftmals werden den Haushalten auch sogenannte grüne Tonnen für Küchen- und Gartenabfälle angeboten. Glas und Papier werden je nach Regelung entweder an öffentlichen Containern entsorgt oder gesondert abgeholt. Obwohl in der Praxis kaum

Kontrollen durchgeführt werden, funktioniert das System, trotz der damit verbundenen Unbequemlichkeiten, ganz gut. Durch Erhöhung der Müllgebühren, Verkleinerung der Mülltonnen und Reduzierung der Abfuhrfrequenzen versucht man zusätzlich das „Müllbewusstsein" der Bürger zu schärfen.

Auch die Anbieter reagieren, indem möglichst auf unnötige Verpackungen verzichtet wird. Getränke, Milch und Milchprodukte werden zunehmend in Pfandgläsern und -flaschen angeboten, und insbesondere die Hersteller von Wasch- und Putzmitteln sind in einen werbewirksamen Wettstreit getreten, wer durch Nachfüllpackungen und Konzentrate die Umwelt am meisten entlastet.

Eine wachsende Zahl von besonders motivierten Verbrauchern geht dazu über die eigenen Frischhaltedosen zum Einkauf mitzunehmen um bei Wurst und Käse ganz auf Verpackung verzichten zu können.

→ LK 25

Zu Seite 87

Die Deutschen sind laut internationaler Statistik mit über 60 Millionen Auslandsreisen pro Jahr die Weltmeister im Reisen. Besonders die wachsende Zahl der Rentner wird immer mobiler. Reiseziele sind vor allem europäische Länder mit Österreich, Italien und Spanien an der Spitze. Bei den Fernreisezielen haben Südamerika, Australien und Neuseeland die höchsten Zuwachsraten. Dem entspricht ein immer größeres und differenzierteres Angebot der Reiseveranstalter und immer noch ist der Markt nicht gesättigt; beliebte Reiseziele müssen schon lange im Voraus gebucht werden. Wer es sich finanziell leisten kann, macht mehrmals im Jahr Urlaub. Sicher liegt es am deutschen Klima, dass sich der Urlaubstraum der meisten Touristen nach wie vor mit Sonne, Strand und Palmen verbindet.

→ LK 26

Zu Seite 88

Im Zuge des europäischen Einigungsprozesses sind die zwischenstaatlichen Grenzkontrollen in den Ländern der Europäischen Union (EU) praktisch aufgehoben worden. Soweit noch Kontrollen durchgeführt werden, genügt der Personalausweis.

→ LK 27

Zu Seite 90

Dieser Text bezieht sich zwar auf Deutsche, die im Ausland arbeiten möchten, jedoch dürfte hierbei im Unterricht schnell die Frage aufkommen, welche Bedingungen Ausländer, die in Deutschland arbeiten möchten, erfüllen müssen. Für Bürger der Staaten der Europäischen Union (EU) gilt die sogenannte „Freizügigkeit", d. h., sie bekommen in Deutschland ohne Probleme jederzeit eine Arbeitserlaubnis. Sie haben darauf einen Rechtsanspruch. Ausländer aus anderen Staaten hingegen bekommen nur dann ausnahmsweise eine Arbeitserlaubnis, wenn für die Arbeitsstelle keine Person, die legal in Deutschland lebt (egal ob Deutscher oder Ausländer) zur Verfügung steht, die diese Arbeit übernehmen kann. Es besteht seit Jahren ein sogenannter „Anwerbestopp", der es Ausländern aus Nicht-EU-Ländern praktisch unmöglich macht, eine Arbeitserlaubnis zu bekommen. Es gibt jedoch in einigen Branchen (vor allem in der Bauwirtschaft, in der Gastronomie und im Reinigungsgewerbe) eine große Menge von illegal beschäftigten Arbeitnehmern.

Sonderregelungen gibt es für ausländische Studenten und Flüchtlinge und für Saisonarbeiter aus Ländern, mit denen spezielle Vereinbarungen getroffen wurden.

→ LK 28

Zu Seite 91

Es gibt viele Deutsche, die zeitweise gerne im Ausland leben und arbeiten möchten. Dies gilt insbesondere für junge Leute mit Hochschulausbildung. Sie tun dies aus sehr verschiedenen Motiven, für die die drei Frauen im Text auf S. 91 stellvertretend stehen.

→ LK 29

Zu Seite 95

Angesichts der Tatsache, dass Deutschland im internationalen Vergleich als Wirtschaftsparadies gilt, ist es sicher schwer zu verstehen, dass es eine größere Zahl von Deutschen gibt, die auswandern wollen. Als Auswanderungsziele stehen Australien, Kanada und Neuseeland an erster Stelle; Länder also, wo es viel unzerstörte Natur und wenig Industrie gibt. Im dicht besiedelten Deutschland wächst bei vielen Menschen die Sehnsucht nach Freiheit, Weite und Abenteuer. Wer sich zu große Illusionen vom selbstbestimmten Leben im Ausland gemacht hat, kehrt allerdings bald wieder enttäuscht zurück.

→ LK 30

Zu Seite 102

Die Bundesrepublik Deutschland ist ein föderativer Bundesstaat, der aus 16 einzelnen Ländern besteht. Diese Länder haben eigene Parlamente und Regierungen und verfügen in bestimmten Bereichen über eine weitgehende Autonomie, zum Beispiel im Schulwesen, in der inneren Verwaltung, im Polizeiwesen und in der Kulturpolitik. Die Bundesregierung und das Bundesparlament, der Bundestag, haben die Kompetenzen für Bereiche, die den Gesamtstaat betreffen, so zum Beispiel die Außenpolitik, die Armee und viele andere. Bei Kompetenzstreitigkeiten zwischen Bund und Ländern geht im Zweifelsfall Bundesrecht vor Landesrecht. Andererseits können die Bundesländer über die zweite Parlamentskammer, den Bundesrat, erheblichen Einfluss auf die Bundespolitik ausüben.

Das Wahlsystem fußt auf dem Prinzip der repräsentativen parlamentarischen Demokratie. Das bedeutet zum Beispiel, dass die Regierungschefs und auch das Staatsoberhaupt, der Bundespräsident, nicht direkt vom Volk, sondern durch die Parlamente gewählt werden. Der Bundespräsident kann den Bundeskanzler nicht ein- und auch nicht absetzen. Ein Regierungschef kann nur dadurch gestürzt werden, dass das Parlament gleichzeitig einen neuen wählt.

Ein weiteres wichtiges Prinzip ist die gegenseitige Kontrolle der obersten Verfassungsorgane (Parlament, Verfassungsgericht, Regierung). Diese in manchen Punkten recht komplizierte Verfassungsordnung wählte man nach dem 2. Weltkrieg für die Bundesrepublik wegen der schlechten Erfahrungen mit der Präsidialdemokratie der sogenannten „Weimarer Republik" in den 20er Jahren. Damals konnte der Reichspräsident den Regierungschef ernennen und absetzen, das Parlament auflösen und mit Notdekreten regieren, was u. a. Gründe für das Entstehen der Nazi-Diktatur waren.

→ LK 31

Zu Seite 103

Zur Hauptstadtfrage: Nach der deutschen Vereinigung im Jahr 1990 wurde Berlin wieder als deutsche Hauptstadt bestätigt. Bis zum Jahr 2000 soll Berlin auch Sitz der Bundesregierung sein, allerdings bleiben 7 Bundesministerien in Bonn, während 11 nach Berlin umziehen. Schon 1994 zog der Bundespräsident von Bonn nach Berlin um um die Hauptstadtfunktion Berlins zu unterstreichen. Vor allem wegen der durch den Umzug entstehenden Kosten, aber auch aus historischen und politischen Gründen, sind die Meinungen zur Hauptstadtwahl quer durch die Parteien und die Bevölkerung geteilt.

Zum Parteienspektrum: Im Bundestag sind zur Zeit (1995) folgende Parteien vertreten: CDU: „Christlich Demokratische Union", konservative Volkspartei; Regierungsbeteiligung von 1949 bis 1969, dann wieder seit 1982.

CSU: „Christlich Soziale Union"; Schwesterpartei der CDU; tritt nur in Bayern zur Wahl an, wo die CDU nicht auftritt; bildet im Bundestag mit der CDU eine Fraktionsgemeinschaft; Regierungszeiten genau wie CDU.

SPD: „Sozialdemokratische Partei Deutschlands"; älteste politische Partei in Deutschland; ging aus der Arbeiterbewegung hervor; Regierungsbeteiligung von 1966 bis 1982.

FDP: „Freie Demokratische Partei"; liberale Partei; kleinste der jeweiligen Regierungsparteien; Regierungsbeteiligung an verschiedenen Bundesregierungen von 1949 bis 1957, von 1961 bis 1966 und seit 1969.

Bündnis 90/Die Grünen: Zusammenschluss der ökologischen Partei „Die Grünen" mit der in der DDR gegründeten Demokratie- und Bürgerbewegung „Bündnis 90".

PDS: „Partei des Demokratischen Sozialismus"; Nachfolgepartei der kommunistischen DDR-Staatspartei SED.

→ LK 32

Zu Seite 104/105

Eine ausführliche Darstellung der deutschen Nachkriegsgeschichte lässt sich an dieser Stelle nicht geben. Daher nur die folgenden Erläuterungen zu den wichtigen im Text „Zweimal Deutschland" erwähnten Vorgängen:

Staatsgründung: Die Siegermächte des 2. Weltkriegs (USA, Sowjetunion, Großbritannien,

Frankreich) hatten schon vor Kriegsende auf Konferenzen in Teheran, Jalta und nach Kriegsende 1945 in Potsdam über die Aufteilung Deutschlands in eine sowjetische, eine amerikanische, eine britische und eine französische Besatzungszone sowie die Abtrennung Ostpreußens und der Gebiete östlich der Oder-Neiße-Linie von Deutschland entschieden. Bis 1949 wird Deutschland von alliierten Militärregierungen verwaltet: „Bis auf Weiteres wird keine zentrale deutsche Regierung errichtet werden. Jedoch werden einige wichtige zentrale deutsche Verwaltungsabteilungen geschaffen (...) Deutschland ist als wirtschaftliche Einheit zu betrachten" (Zitat aus dem Protokoll der Konferenz von Potsdam). Durch zunehmende Spannungen zwischen der Sowjetunion und den USA wird eine gemeinsame Verwaltung Deutschlands durch die Alliierten unmöglich. Der britische Premierminister Churchill prägt den Ausspruch: „Von Stettin an der Ostsee bis hinunter nach Triest an der Adria ist ein Eiserner Vorhang über den Kontinent gezogen". Das Kernstück dieses „Eisernen Vorhangs", der immer undurchlässiger wird, ist die Grenze zwischen der sowjetisch besetzten Zone in Deutschland und den drei Westzonen. Die im Potsdamer Protokoll genannte „wirtschaftliche Einheit" Deutschlands ist von vornherein nicht gegeben. Schon 1946 schließen sich die amerikanische und die britische Besatzungszone zusammen, 1947 kommt die französische Zone hinzu – der Vorläufer des Staatsgebildes der späteren Bundesrepublik Deutschland ist entstanden. Das letzte Gremium, in dem alle vier Siegermächte zusammenarbeiten, der Alliierte Kontrollrat in Berlin, wird aufgelöst. 1948 führen die Westmächte in ihrer Zone und in West-Berlin eine neue Währung, die D-Mark ein. Darin drückt sich auch die endgültige wirtschaftliche Teilung Deutschlands aus.

Bereits seit 1945 hatten alle Alliierten die Neubildung antifaschistisch-demokratischer Parteien in ihren Zonen gefördert. In der sowjetischen Zone wird allerdings der Kommunistischen Partei Deutschlands (KPD) eine Vorrangstellung eingeräumt und die SPD wird 1946 zwangsweise mit ihr zur Sozialistischen Einheitspartei Deutschlands (SED) vereinigt. Auf Anordnung der Westalliierten tritt 1949 ein parlamentarischer Rat der Westzone zusammen, der eine Verfassung für einen westdeutschen Bundesstaat ausarbeitet. Sie tritt als „Grundgesetz der Bundesrepublik Deutschland" am 23. Mai 1949 in Kraft, womit die „Bundesrepublik Deutschland" gegründet wird. Als Reaktion darauf wird am 7. Oktober desselben Jahres in Ostberlin die „Deutsche Demokratische Republik" ausgerufen – zwei deutsche Staaten entstanden.

Berlin: Parallel zur Aufteilung Deutschlands in Besatzungszonen ist Berlin nach dem Krieg in vier Sektoren eingeteilt. Eine besondere Problematik ergibt sich aus der geographischen Lage Berlins mitten im Gebiet der DDR, was immer wieder zu Spannungen führt. Nach der Währungsreform in den Westzonen (siehe oben) sperren sowjetische Truppen im Juni 1948 alle Zufahrtswege zu den Westsektoren Berlins. Während elf Monaten wird Westberlin nur von Flugzeugen der Alliierten versorgt. Nach dem Ende der Blockade bleibt die Stadt bis 1961 eine der letzten Möglichkeiten für Flüchtlinge in den Westen zu gelangen. Als die Flüchtlingswellen immer größer werden, lässt die DDR-Regierung am 13. August 1961 eine Mauer mitten durch Berlin und rings um die Westsektoren bauen. Erst ab 1966 können Westberliner wieder zu bestimmten Zeiten (Weihnachten, Ostern usw.) ihre Verwandten im Ostteil der Stadt besuchen und erst im Viermächte-Abkommen 1971 garantiert die Sowjetunion den unbehinderten Transitverkehr nach Westberlin, besteht aber darauf, dass Westberlin nicht als Teil der Bundesrepublik angesehen wird.

Vereinigung: Ist es schon ungewöhnlich, dass zwei Staaten sich vereinigen, so erst recht dann, wenn ihre politischen, gesellschaftlichen und wirtschaftlichen Strukturen grundverschieden sind. Die Möglichkeit des Beitritts anderer Teile Deutschlands zur Bundesrepublik war schon seit deren Gründung im Grundgesetz vorgesehen. Voraussetzung war von daher vor allem, dass ein demokratisch gewähltes Parlament der DDR den Beschluss zum Beitritt fasste. Nachdem dies geschehen war, mussten vor allem wirtschaftliche und politische Fragen geklärt werden, die zum Teil nicht allein Angelegenheit der beiden deutschen Staaten waren. Auf dem Weg zur Einheit Deutschlands spielten die folgenden Ereignisse eine wichtige Rolle:

– die Schaffung einer Währungs-, Wirtschafts- und Sozialunion beider Staaten zur Herstellung gleicher wirtschaftlicher Strukturen;

– die Anerkennung der polnischen Westgrenze (Oder-Neiße-Linie) als endgültige Ostgrenze Deutschlands durch die Bundesrepublik;

– die Zustimmung der 4 Siegermächte des 2. Weltkriegs zur Bildung eines einheitlichen deutschen Staats;

– die Zustimmung der Sowjetunion zur Integration der DDR-Armee in die Bundeswehr und zur Mitgliedschaft der gesamtdeutschen Armee in der NATO;

– die Vorbereitung des Abzugs der in Deutschland stationierten, insbesondere der sowjetischen Truppen;

– die Auflösung der noch bestehenden Rechte der vier Alliierten des 2. Weltkriegs über Deutschland und insbesondere über Berlin und damit die endgültige und vollständige Herstellung der deutschen Souveränität;

– die Festsetzung des 3. Oktober 1990 als Tag des Beitritts („Tag der Deutschen Einheit").

Auch nach der deutschen Einheit waren und sind noch eine Menge Probleme zu lösen und Strukturen zu verändern, von denen hier ebenfalls nur einige genannt werden können:

– die Umwandlung der staatlichen Betriebe in der ehemaligen DDR in privatwirtschaftliche;

– die Regelung der Besitzverhältnisse an enteignetem Grund und Boden;

– die Übernahme von öffentlich Bediensteten (Lehrer, Polizisten, Soldaten usw.) der ehemaligen DDR in den Staatsdienst;

– die Aufarbeitung der Verwicklung vieler Menschen in die Aktivitäten des Staatssicherheitsdienstes der DDR;

– die Angleichung der Einkommens- und sozialen Verhältnisse der Bürger;

– die Modernisierung von Industriebetrieben und Verkehrswegen und die Beseitigung großer Umweltschäden.

→ LK 33

Zu Seite 106/107

In dem Text unter den Bildern auf Seite 107 und im Interview mit Dieter Karmann werden eine Reihe Gründe für die Unzufriedenheit vieler DDR-Bürger genannt. Die meisten lassen sich unter dem Stichwort „Bevormundung der Bürger durch den Staat" zusammenfassen. Als schlimmste Bevormundung wurde von vielen die Einschränkung der Reisefreiheit empfunden. Auslandsreisen waren für die DDR-Bürger nur in sehr beschränktem Maße möglich, ins westliche Ausland fast gar nicht. Beruflich oder politisch notwendige Westreisen wurden nur besonders zuverlässigen Parteimitgliedern, Wissenschaftlern, Künstlern und Sportlern erlaubt. Privatreisen in die Bundesrepublik wurden höchstens bei wichtigen Anlässen (Hochzeit, Tod) in der eigenen Familie vereinzelt genehmigt. Nur Rentnerinnen und Rentner konnten frei in den Westen reisen oder dorthin übersiedeln.

Im Laufe des Jahres 1989 wurde immer mehr Unzufriedenheit mit den politischen, wirtschaftlichen und sozialen Umständen in der DDR laut. So manifestierte sich zum Beispiel erstmals öffentlicher Protest gegen die ganz offensichtlich von der Regierung manipulierten Gemeindewahlen im Mai. Bei Demonstrationen wurde der Ruf nach Reisefreiheit immer lauter. Ab August versammelten sich Tausende ausreisewilliger DDR-Bürger in den Vertretungen der Bundesrepublik in Ostberlin, Prag und Budapest. In den Großstädten der DDR wurden Massendemonstrationen zu einer festen Einrichtung; unter den Forderungen nach politischen Reformen stand die Reisefreiheit mittlerweile an erster Stelle. Als die Probleme nach der Feier des 40. Jahrestages der Gründung der DDR im Oktober auch von der Regierung nicht länger verdrängt werden konnten, wurde die alte Partei- und Staatsführung abgelöst, später aus der Partei ausgeschlossen und teilweise verhaftet, aber die Sozialistische Einheitspartei blieb zunächst noch an der Macht. Durch kleinere Reformen und Zugeständnisse sollte die Ruhe im Land wieder hergestellt werden, so z. B. durch den Entwurf für ein neues Reisegesetz, das auf 30 Tage pro Jahr beschränkte Auslandsreisen ermöglichen sollte. Dieses Gesetz wurde aber nicht nur von der Volkskammer, dem noch bestehenden alten Parlament, sondern auch von vielen Demonstranten abgelehnt. So sah sich die Parteiführung am 9. November gezwungen eine Verordnung über die vollständige Reisefreiheit zu beschließen. Diese Nachricht sollte eigentlich erst am darauffolgenden Tag veröffentlicht werden; in einer Pressekonferenz gab der Sprecher des Politbüros der Partei dann aber schon am selben Abend auf eine entsprechende Frage eines Journalisten hin die Öffnung der Grenzen bekannt. Um die Möglichkeit der freien Ausreise (und Wieder-Einreise) zu prüfen kamen daraufhin mehr als 50 000 DDR-Bürger noch in derselben Nacht nach Westberlin.

→ LK 34

Zu Seite 110

Wie in den meisten Industrieländern nimmt in Deutschland die Vereinzelung gerade älterer Menschen durch die Auflösung traditioneller Familienstrukturen zu. Es ist fast nur noch in ländlichen Gebieten üblich, dass die Kinder bis zu ihrer Eheschließung im Haushalt ihrer Eltern und danach eventuell auch weiterhin bei den Eltern eines Ehepartners wohnen. In jedem Fall ist dort die Sorge für die Eltern und Großeltern stärker verbreitet als in Städten, wo allein schon das Wohnraumangebot familienfeindlich ist. Andererseits wohnt aber nur der geringste Teil alter Leute in Alters- oder Pflegeheimen (ca. 5 %). Die meisten leben mit ihrem Ehepartner oder verwitwet allein, wenn auch mit Kontakt zu den eigenen Kindern. Vereinzelt gründen Senioren inzwischen Wohngemeinschaften, wo sie mit Gleichaltrigen zusammenleben, ihren Interessen nachgehen und sich gegenseitig helfen können.

→ LK 35

Zu Seite 112

Wie aus den Statistiken auf Seite 113 deutlich zu ersehen ist, wird der Bedarf an Alten- und Pflegeheimen mit der wachsenden Zahl älterer Menschen größer. Altenheime werden bislang zum größten Teil von Sozialeinrichtungen der Kirchen oder von freien Sozialverbänden unterhalten, aber die Zahl der privaten Heime wird zunehmend größer. Die Angebote und die Ausstattungen der Altersheime sind sehr unterschiedlich. Sie reichen von altengerechten Apartments bis hin zur Unterbringung in Mehrbettzimmern, von der Betreuung alter Leute, die sich im Wesentlichen selbst versorgen können, bis zur Pflege behinderter oder vollständig pflegebedürftiger Personen. Auch die Unterbringungskosten sind extrem unterschiedlich. Im Jahr 1994 betrugen die durch-

schnittlichen Kosten für eine Voll-Pflege-Unterbringung ca. 2300 €. Nur die wenigsten Pflegebedürftigen können diesen Satz allein durch ihre Renteneinkünfte aufbringen und müssen für den Unterschiedsbetrag Sozialhilfe beantragen. Auch der Höchstsatz der Pflegeversicherung (**→ LK 36**), die seit 1995 eingeführt ist, reicht in der Regel für eine Heimunterbringung nicht aus. Von den 1,6 Millionen pflegebedürftigen Personen in Deutschland werden rund zwei Drittel zu Hause von Familienangehörigen und ambulantem Pflegepersonal betreut.

→ LK 36

Zu Seite 113

Die fortschreitende Überalterung der Gesellschaft in Deutschland stellt – wie in vielen Industrienationen – ein ernstes Problem vor allem für die Rentenpolitik dar. Für die Rentenzahlung gilt bislang der sogenannte „Generationenvertrag". Das heißt, dass die Renten für die Senioren von der derzeit arbeitenden Generation finanziert werden. In absehbarer Zeit wird es jedoch mehr Rentner als Erwerbstätige geben – mit den entsprechenden Konsequenzen für die Höhe der Beiträge zur Rentenversicherung. Viele zukünftige Rentenempfänger kümmern sich bereits heute um Möglichkeiten privater Zusatzversorgung.

Der steigenden Zahl der Pflegefälle wird durch die 1995 eingeführte Pflegeversicherungspflicht Rechnung getragen. Jeder Arbeitnehmer und Beamte muss seitdem Mitglied einer Pflegeversicherung sein. Je nach Grad der Pflegebedürftigkeit zahlt diese Versicherung dann Sachleistungen (Hilfsmittel), ambulante oder stationäre Pflege (siehe aber **→ LK 35**: Kosten für Unterkunft und Ernährung muss der Patient jedoch selber tragen).

→ LK 37

Zu Seite 116/117

Insbesondere im ländlichen Raum gehören die „silberne Hochzeit" (nach 25 Ehejahren) und die „goldene Hochzeit" (nach 50 Ehejahren) zu den wichtigsten Familienfesten, die in manchen Gegenden mit ähnlichem Aufwand gefeiert werden wie die eigentliche („grüne") Hochzeit.

→ LK 38

Zu Seite 125

Deutsche Autoren findet man eher selten auf den Bestsellerlisten. Um so überraschender war der große Erfolg von „Herbstmilch", dem Erstlingswerk der betagten Bäuerin Anna Wimschneider, die darin ihre Lebensgeschichte in kurzen und einfachen Worten erzählt. Der ausgefeilte Stil einer Schriftstellerin fehlt ihr völlig, wodurch der Text besonders authentisch und anrührend wirkt. Sie selbst hatte bei der Niederschrift nicht an eine Veröffentlichung gedacht, sondern wollte ihre schwere Kindheit und Jugend nur für ihre drei erwachsenen Töchter festhalten.

Test für Lektion 1 und 2

1. Ergänzen Sie.

a) ein Schuh / klein   *ein kleiner Schuh*

b) der Mund / schmal   _____

c) eine Bluse / grau   _____

d) der Beruf / interessant   _____

e) ein Kleid / blau   _____

f) die Füße / groß   _____

g) ein Zeugnis / gut   _____

h) die Studenten / intelligent   _____

i) das Gesicht / hübsch   _____

j) ein Radio / billig   _____

k) die Hose / weiß   _____

Punkte (max. 10): _____

2. Was ist richtig?

a) Er hat einen [A] *dickes* [B] *dicker* [C] *dicken* Bauch.

b) Er trägt eine [A] *schwarz* [B] *schwarze* [C] *schwarzen* Krawatte.

c) Sie trägt ein [A] *roten* [B] *roter* [C] *rotes* Kleid.

d) Sie hat einen [A] *netten* [B] *nette* [C] *nett* Kollegen.

e) Sie trägt eine [A] *runden* [B] *rund* [C] *runde* Brille.

f) Ich habe einen [A] *freundliches* [B] *freundliche* [C] *freundlichen* Chef.

g) Mein Vater trägt immer [A] *braunen* [B] *braune* [C] *braunes* Schuhe.

h) Peter hat eine [A] *neue* [B] *neues* [C] *neuen* Freundin.

	A	B	C
a)			×
b)			
c)			
d)			
e)			
f)			
g)			
h)			

Punkte (max. 7): _____

3. Ordnen Sie.

[2]   [4]   [3]   [1]   [5]

a) Gaby will Fotomodell werden, sie Kleider schöne weil mag.

[ ]   [ ]   [ ]   [ ]

b) Peter Tiere mag weil,   möchte er Zoodirektor werden.

[ ] [ ] [ ]   [ ]   [ ]

c) Paul will Nachtwächter werden, nachts er weil möchte arbeiten.

[ ]   [ ]   [ ]   [ ]   [ ] [ ]

d) Florian musste Landwirt werden, Bauernhof einen haben Eltern denn seine.

[ ] [ ] [ ]   [ ]   [ ]

e) Werner ist mit seinem Beruf unzufrieden, viel er obwohl verdient Geld.

[ ]   [ ] [ ] [ ] [ ]

f) Unfall hatte er weil einen,   konnte Werner nicht mehr als Maurer arbeiten.

Punkte (max. 5): _____

4. Ergänzen Sie das Personalpronomen „er".

a) Manfred bekommt kein Abschlusszeugnis.

Trotzdem ___–___ will _er_ ___ die Schule verlassen.

b) Manfred soll noch ein Jahr warten, sagen seine Eltern.

Aber _____ will _____ die Schule verlassen.

c) Manfred möchte nicht mehr zur Schule gehen.

Denn _____ will _____ lieber arbeiten.

d) Manfred möchte jetzt schon Geld verdienen.

Deshalb _____ will _____ die Schule verlassen.

e) Manfred verlässt die Schule ein Jahr zu früh.

Aber _____ bekommt _____ kein Abschlusszeugnis.

f) Wenn Manfred noch ein Jahr die Schule besucht,

dann _____ hat _____ bessere Chancen im Beruf.

Punkte (max. 5): _____

5. Ergänzen Sie die Form im Präteritum.

a) ich darf   *ich durfte* _____

b) er will   _____

c) sie können   _____

d) ihr sollt   _____

e) wir müssen   _____

f) du kannst   _____

g) sie wollen   _____

h) du darfst   _____

i) sie dürfen   _____

j) du willst   _____

k) er soll   _____

Punkte (max. 10): _____

6. Wie heißt das Gegenteil?

a) dick	A. langweilig	a: C
b) nett	B. ruhig	b:
c) klug	C. dünn	c:
d) schön	D. schwer	d:
e) sauber	E. lustig	e:
f) alt	F. unsympathisch	f:
g) traurig	G. dumm	g:
h) nervös	H. jung	h:
i) interessant	I. hässlich	i:
j) leicht	J. schmutzig	j:

Punkte (max. 9): _____

Punkte gesamt (max. 46): _____

Test für Lektion 3 und 4

1. Was passt?

[A] mich   [B] dich   [C] sich   [D] uns

[E] euch   [F] mir   [G] dir

a) Peter ärgert [C] über das schlechte Fernsehprogramm.

b) Ich interessiere [   ] nicht für Politik.

c) Wir hören [   ] abends immer Schallplatten an.

d) Freust du [   ] auf den Urlaub?

e) Ich habe [   ] heute einen neuen Pullover gekauft.

f) Warum beschwert ihr [   ] nicht über die laute Musik?

g) Wann willst du [   ] ein neues Auto kaufen?

h) Meine Freunde interessieren [   ] sehr für Sport.

i) Meine Freundin regt [   ] immer über ihren Chef auf.

Punkte (max. 8): _____

2. Was passt?

[A] hätte   [B] wäre   [C] würde

a) Wenn ich genug Geld [A], [C] ich nicht mehr arbeiten.

b) Er [   ] glücklich, wenn seine Freundin keine Katzen [   ].

c) Wenn er Probleme [   ], [   ] er mich sicher anrufen.

d) Wenn das Auto billiger [   ], [   ] ich es nehmen.

e) Gabriela [   ] es sicher leichter, wenn sie ein Mann [   ].

f) Wenn ich heute Abend zu Hause [   ], [   ] ich fernsehen.

g) Ich [   ] sicher viele Kinder, wenn ich verheiratet [   ].

Punkte (max. 12): _____

3. Welche Antwort passt?

a) Wer weckt die Kinder?

    [A] Die Kinder wecken die Mutter.

    [B] Die Kinder werden von der Mutter geweckt.   ☒

    [C] Die Mutter wird von den Kindern geweckt.

b) Von wem werden die Bleche geschweißt?

    [A] Die Roboter schweißen die Bleche.

    [B] Die Roboter werden von den Blechen geschweißt.

    [C] Die Bleche muss man schweißen.

c) Wer bezahlt die Rechnung?

    [A] Die Rechnung wird bezahlt.

    [B] Die Rechnung wird von Herrn Bauer bezahlt.

    [C] Jemand muss die Rechnung bezahlen.

d) Wo wird der Wagen repariert?

    [A] Ein Mechaniker repariert den Wagen.

    [B] Der Wagen wird von einem Mechaniker repariert.

    [C] Der Wagen wird in der Werkstatt repariert.

e) Von wem wirst du heute abgeholt?

    [A] Mein Mann holt mich ab.

    [B] Mein Mann wird von mir abgeholt.

    [C] Ich hole meinen Mann ab.

Punkte (max. 4): _____

4. Welche drei Nomen passen nicht zum Thema „Auto"?

[A] der Reifen	[D] der Vorname	[G] die Werkstatt	[J] der Verkehr
[B] der Kofferraum	[E] der Unfall	[H] die Batterie	[K] das Benzin
[C] die Tankstelle	[F] das Telegramm	[I] der Motor	[L] der Donnerstag

Punkte (max. 3): _____

5. Was passt?

A	B	C
	×	

a) Der Fiat hat einen [A] *starken* [B] *stärkeren* [C] *stärksten* Motor als der Opel.

b) Der Ford hat [A] *breitesten* [B] *breite* [C] *breitere* Türen als der Renault.

c) Meine beiden Brüder sind älter als ich. Ich bin das [A] *jüngste* [B] *jüngere* [C] *junge* Kind in der Familie.

d) Der Ford gefällt mir gut, aber er ist fast 1000 DM [A] *teuersten* [B] *teurer* [C] *teuer* als der Opel.

e) Wenn man Geld sparen will, sollte man den Fiat kaufen. Er hat den [A] *niedrigeren* [B] *niedrigen* [C] *niedrigsten* Benzinverbrauch.

f) Mein Kollege hat ein [A] *schnellsten* [B] *schnelleres* [C] *schnelleren* Auto als ich.

Punkte (max. 5): _____

6. Was passt?

[A] wofür   [B] worüber   [C] worauf

[D] dafür   [E] darüber   [F] darauf

a) Morgen gehen wir ins Theater. Ich freue mich schon [*F*].

b) Ich möchte Peter etwas schenken. Weißt du, [   ] er sich interessiert?

c) Du kannst Peter ein Buch schenken. [   ] freut er sich bestimmt.

d) Jetzt hast du eine Stunde mit deiner Freundin telefoniert. [   ] habt ihr denn so lange gesprochen?

e) Sportsendungen sehe ich mir nie an. [   ] interessiere ich mich nicht.

f) Kommt bald ein Bus oder [   ] warten Sie hier?

Punkte (max. 5): _____

Punkte gesamt (max. 37):_____

Test für Lektion 5 und 6

1. Was passt?

a) Ich kenne die Mutter [X] *des kleinen Mädchens*   nicht.

   [B] *das kleine Mädchen*

   [C] *dem kleinen Mädchen*

b) Die Freundin [A] *mein älterer Bruder*   ist Stewardess von Beruf.

   [B] *meinem älteren Bruder*

   [C] *meines älteren Bruders*

c) Die Kinder [A] *unsere neuen Freunde*   sind sehr nett.

   [B] *unserer neuen Freunde*

   [C] *unseren neuen Freunden*

d) Die Reparatur [A] *meines alten Autos*   war sehr teuer.

   [B] *meinem alten Auto*

   [C] *mein altes Auto*

e) Ich bin mit der Bildqualität [A] *dem neuen Fernseher*   nicht zufrieden.

   [B] *des neuen Fernsehers*

   [C] *den neuen Fernseher*

f) Er hört gerne die Geschichten [A] *seinen alten Großvater.*

   [B] *seinem alten Großvater.*

   [C] *seines alten Großvaters.*

Punkte (max. 5): _____

2. Welche Nomen passen zum Thema „Wetter"?

[A] das Gewitter	[D] die Tante	[G] der Schnee	[J] das Klima
[B] das Gift	[E] der Nebel	[H] die Temperatur	[K] das Gespräch
[C] der Wind	[F] das Meer	[I] die Sonne	[L] der Regen

Punkte (max. 8): _____

3. Was passt?

[A] weil   [B] obwohl   [C] wenn   [D] dass

a) Ich bin der Meinung, [*D*] es morgen regnet.

b) Rufe mich bitte an, [   ] du Zeit hast.

c) Ich habe leider vergessen, [   ] du letzte Woche Geburtstag hattest.

d) Ich habe gehört, [   ] Ina einen neuen Freund hat.

e) Sandra durfte im Zimmer bleiben, [   ] sie die Erwachsenen störte.

f) Ich liebte meine Eltern, [   ] sie immer sehr nett zu mir waren.

g) Ich wäre glücklich, [   ] meine Eltern noch leben würden.

h) Ich hoffe, [   ] meine Eltern noch lange leben.

i) Ulrike wollte ihr Kind bekommen, [   ] sie eigentlich zu jung dafür war.

Punkte (max. 8): _____

4. Ergänzen Sie die Verben im Präteritum.

a) Er (kennen) _*kannte*_ seinen Vater nicht.

b) Wir (wissen) _____ wenig über unsere Eltern.

c) Maria (denken) _____ mehr an ihren Mann als an die Kinder.

d) Sonntags (gehen) _____ die Eltern mit den Kindern spazieren.

e) Ulrike (bekommen) _____ mit 17 Jahren ein Kind.

f) Die Kinder (müssen) _____ immer leise sein.

g) Ingeborg (haben)_____ eine schöne Kindheit.

h) Sie (finden) _____ eine Stelle als Krankenschwester.

i) Meine Eltern (verstehen) _____ meine Probleme nicht.

j) Mein Vater (kommen) _____ immer spät nach Hause.

k) Die Kinder (dürfen) _____ beim Essen nicht sprechen.

Punkte (max. 10): _____

5. Ergänzen Sie.

a) Ich habe keine Lust mit der Arbeit (anfangen) *anzufangen.*

b) Ich habe keine Zeit morgens (frühstücken) _____ .

c) Ich habe Lust mit dir (spazieren gehen) _____ .

d) Es macht mir Spaß mit dir (diskutieren) _____ .

e) Ich verbiete Ihnen mich (fotografieren) _____ .

f) Ich habe versucht darüber (nachdenken) _____ .

g) Ich helfe Ihnen den Mantel (ausziehen) _____ .

h) Sie haben zwei Tage Zeit sich die Sache (überlegen) _____ .

i) Heute habe ich keine Lust (fernsehen) _____ .

Punkte (max. 8): _____

6. Was passt?

[A] denen   [B] dessen   [C] deren   [D] die   [E] das

[F] der   [G] dem   [H] den

a) Ich kenne einen See, [F] grünes Wasser hat.

b) Wir wohnen an einem Fluss, in [   ] man baden kann.

c) Ich möchte in einem See baden, [   ] Wasser noch sauber ist.

d) Ich mache Urlaub auf einer Insel, [   ] Bewohner sehr freundlich sind.

e) Ich mag keine Getränke, [   ] man nur in Dosen kaufen kann.

f) Am liebsten esse ich das Brot, [   ] ich bei meinem Bäcker gekauft habe.

g) Er hat gute Freunde, mit [   ] er sich oft trifft.

h) Sie hat einen neuen Kollegen, [   ] ich gern kennenlernen möchte.

Punkte (max. 7): _____

Punkte gesamt (max. 46): _____

Test für Lektion 7 und 8

1. Was passt?

	A	B	C
			×

a) Ich habe sie gefragt, [A] *wer* [B] *wie* [C] *ob* sie eine Arbeitserlaubnis hat.

b) Sie möchte wissen, [A] *wann* [B] *was* [C] *wer* sie im Ausland machen kann.

c) Hast du deinen Chef gefragt, [A] *woher* [B] *wann* [C] *woran* du Urlaub machen kannst?

d) Peter hat mich gefragt, [A] *ob* [B] *was* [C] *wo* ich mit ihm nach Spanien fahren will.

e) Wissen Sie vielleicht, [A] *was* [B] *wer* [C] *wo* man das Visum beantragen muss?

f) Wir wissen noch nicht, [A] *wohin* [B] *woher* [C] *wofür* wir im Urlaub fahren.

g) Vor dem Flug sollte man prüfen, [A] *wann* [B] *ob* [C] *wieviel* die Koffer wiegen.

Punkte (max. 6): _____

2. Was passt?

[A] nicht   [B] nichts   [C] keinen   [D] keine   [E] kein

a) Das Spiel gefällt mir [*A*].

b) In der Sahara braucht man [   ] Telefonbuch.

c) Ich nehme Wasser mit und sonst [   ].

d) In die Antarktis würde ich [   ] Fotoapparat mitnehmen.

e) Er hat den ganzen Abend [   ] gesagt.

f) Einen Schirm brauchen wir [   ].

g) Wenn wir [   ] Wolldecke mitnehmen, ist es nachts zu kalt.

h) Wir brauchen [   ] Schnaps; das Wasser ist wichtiger.

i) Ich bin [   ] der Meinung, dass wir Seife brauchen.

Punkte (max. 8): _____

3. Was passt?

a) Wegen [A] *des Streiks* [B] *der Streik* [C] *den Streik* fahren die Busse und Straßenbahnen nicht.

b) Wir wollen mit [A] *das Auto* [B] *des Autos* [C] *dem Auto* nach Italien fahren.

c) Ohne [A] *unser Hund* [B] *unseren Hund* [C] *unseres Hundes* fahren wir nie in den Urlaub.

d) Wegen [A] *des starken Regens* [B] *der starke Regen* [C] *den starken Regen* konnte das Flugzeug nicht starten.

e) Nach [A] *der zweite Weltkrieg* [B] *den zweiten Weltkrieg* [C] *dem zweiten Weltkrieg* wurde Deutschland geteilt.

f) Die Bürger demonstrierten gegen [A] *des neuen Präsidenten* [B] *den neuen Präsidenten* [C] *der neue Präsident*.

g) Seit [A] *einem Jahr* [B] *eines Jahres* [C] *ein Jahr* gibt es eine schwere Wirtschaftskrise im Land.

	A	B	C
a)	×		
b)			
c)			
d)			
e)			
f)			
g)			

Punkte (max. 6): _____

4. Welche Nomen passen zum Thema „Politik"?

[A] das Hochhaus   [H] der Minister   [O] die Straßenbahn

[B] die Koalition   [I] die Wahl   [P] das Parlament

[C] der Krieg   [J] die Verfassung   [Q] die Partei

[D] das Salz   [K] der Sportplatz   [R] die Zahnpasta

[E] die Opposition   [L] die Armee   [S] der Staat

[F] die Regierung   [M] die Demokratie   [T] die Diktatur

[G] die Uhr   [N] der Schnaps   [U] der Friede

Punkte (max. 14): _____

5. Welche Nomen passen zum Thema „Reisen"?

[A] der Flughafen   [G] die Mode   [M] das Knie

[B] das Hotel   [H] der Lehrling   [N] der Koffer

[C] der Kaffee   [I] das Flugzeug   [O] der Pass

[D] der Zoll   [J] der Tourist   [P] die Bahn

[E] die Fabrik   [K] die Wahl   [Q] die Fahrkarte

[F] der Fahrplan   [L] das Visum   [R] die Fremdsprache

Punkte (max. 12): _____

6. Ordnen Sie.

              [3]   [1]   [4]   [2]

a) Sie arbeitete im Ausland Leute um kennen zu lernen interessante.

            [ ]   [ ] [ ] [ ] [ ]   [ ]

b) Sie arbeitete im Ausland, interessante wollte sie weil Leute kennen lernen.

              [ ]   [ ]   [ ] [ ] [ ]

c) Sie will im Ausland arbeiten, interessante kennen lernt damit sie Leute.

           [ ]   [ ]   [ ] [ ]

d) Sie fuhr nach London dort arbeiten zu um.

            [ ] [ ]   [ ]   [ ]   [ ]

e) Sie ist nach London gefahren, sie arbeiten damit kann dort.

           [ ]   [ ]   [ ] [ ] [ ]

f) Sie fährt nach London, arbeiten möchte weil dort sie.

Punkte (max. 5): _____

Punkte gesamt (max. 51):_____

Test für Lektion 9 und 10

1. Was passt?

	A	B
a)		X
b)		
c)		
d)		
e)		
f)		
g)		
h)		
i)		
j)		

a) Ich ärgere [A] *mir* [B] *mich* oft über meine Nachbarn.

b) Ich wasche [A] *mir* [B] *mich* täglich die Haare.

c) Das Essen schmeckt [A] *mir* [B] *mich* nicht.

d) Ich kümmere [A] *mir* [B] *mich* um meine alte Nachbarin.

e) Ich muss [A] *mir* [B] *mich* beeilen, sonst komme ich zu spät.

f) Heute abend habe ich [A] *mir* [B] *mich* mit einem Freund verabredet.

g) Zum Geburtstag wünsche ich [A] *mir* [B] *mich* einen Kriminalroman.

h) Im Theater langweile ich [A] *mir* [B] *mich* meistens.

i) Vielen Dank, aber ich möchte [A] *mir* [B] *mich* nicht setzen.

j) Nächstes Jahr muss ich [A] *mir* [B] *mich* ein neues Auto kaufen.

Punkte (max. 9): _____

2. Was passt?

[A] sie   [B] ihn   [C] ihr   [D] ihm   [E] sich

a) Frau Möhring freut [*E*] immer über Besuch.

b) Meine Freundin heiratet bald. Ich weiß noch nicht, was ich [   ] schenken könnte.

c) Du musst deinen Vater anrufen, sonst ärgert er [   ].

d) Herr Baier ist im Krankenhaus. Morgen besuche ich [   ].

e) Meine Tante ist sehr alt, aber sie kocht [   ] das Essen noch selbst.

f) Rolf hat mich gefragt, ob ich [   ] helfen kann.

g) Meine Tochter möchte, dass ich [   ] morgens in die Schule bringe.

h) Mein Sohn wäscht [   ] nicht gerne.

i) Wenn meine Mutter Probleme hätte, würde ich [   ] sofort helfen.

Punkte (max. 8): _____

3. Was passt?

[A] mögen   [B] wünschen   [C] schenken   [D] backen   [E] bauen

[F] umziehen   [G] atmen   [H] einschlafen   [I] lesen

[J] reagieren   [K] wohnen

a) im Ofen einen Kuchen [*D*]

b) ins Bett gehen und sofort [   ]

c) jemandem zur Hochzeit viel Glück [   ]

d) als Präsident ein Land [   ]

e) jemandem zum Geburtstag ein Buch [   ]

f) eine Brille brauchen um die Zeitung zu [   ]

g) ein Haus [   ]

h) mit den Eltern unter einem Dach [   ]

i) durch die Nase [   ]

j) keine warme Milch [   ]

k) von einer Wohnung in eine andere [   ]

Punkte (max. 10): _____

4. Was passt?

	A	B	C
a)			×
b)			
c)			
d)			
e)			
f)			
g)			
h)			

a) Ich habe eine Schwester, [A] *dem* [B] *den* [C] *die* in Berlin wohnt.

b) Sie hat einen Bruder, [A] *die* [B] *der* [C] *dessen* im Ausland arbeitet.

c) Kennst du meinen Freund Peter, mit [A] *dem* [B] *denen* [C] *die* ich imUrlaub war?

d) Ich habe meinen Wagen verkauft, [A] *dem* [B] *der* [C] *den* ich zwölf Jahre gefahren habe.

e) Hast du noch die Briefe, [A] *deren* [B] *die* [C] *den* ich dir geschrieben habe?

f) Ich möchte deine Kollegen kennen lernen, von [A] *denen* [B] *deren* [C] *dessen* du mir schon so viel erzählt hast.

g) Ich habe eine Nachbarin, [A] *dessen* [B] *deren* [C] *die* Kind mich jeden Tag besucht.

h) Ich kenne einen Mann, [A] *dessen* [B] *dem* [C] *den* Haare schon mit 30 Jahren weiß waren.

Punkte (max. 7): _____

5. Welche neun Nomen bezeichnen Menschen?

[A] die Großmutter   [F] die Arbeiterin   [K] die Freiheit

[B] die Tante   [G] die Autorin   [L] die Rente

[C] der Bekannte   [H] der Soldat   [M] der Junge

[D] der Vogel   [I] der Hunger   [N] der Tod

[E] die Blume   [J] der Tänzer   [O] die Hausfrau

Punkte (max. 9): _____

5. Was passt nicht?

a) Was kann man nicht lesen?   b) Was kann man nicht essen?

[A] ein Buch   [A] eine Kartoffel

[B] eine Zeitung   [B] eine Suppe

[C] eine Kirche   [C] ein Brot

[D] ein Kochrezept   [D] ein Stück Obst

[E] einen Brief   [E] eine Badewanne

[F] ein Gedicht   [F] eine Wand

[G] einen Satz   [G] einen Fisch

[H] einen Kugelschreiber   [H] ein Stück Torte

[I] eine Zeitschrift   [I] ein Messer

[J] einen Roman   [J] einen Kuchen

[K] eine Wolke   [K] einen Salat

Punkte (max. 6): _____

Punkte gesamt (max. 49):_____

Notizen

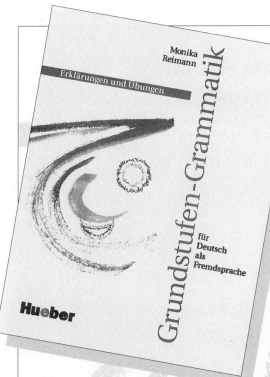

Monika
Reimann

Erklärungen und Übungen

Grundstufen-Grammatik

für
Deutsch
als
Fremdsprache

Hueber

DIE Grammatik
für die Grundstufe

Lehrwerksunabhängig oder lehrwerks-
begleitend

Zur Wiederholung – Vertiefung – Prüfungs-
vorbereitung

Im Unterricht und als Selbstlernmaterial
verwendbar

Der gesamte Wortschatz entspricht den
Anforderungen des Zertifikats Deutsch

▎ Einsprachige Fassung:

**Grundstufen-Grammatik
für Deutsch als Fremdsprache**
Erklärungen und Übungen
ISBN 3–19–001575–9

▎ Jetzt auch in zweisprachigen Fassungen:

Englisch:
Essential Grammar of German with exercises
ISBN 3–19–021575–8

Französisch:
Grammaire de base de l'allemand avec
exercices
ISBN 3–19–031575–2

Griechisch:
Grundstufen-Grammatik Griechenland
ISBN 3–19–041575–7

Italienisch:
Grammatica di base della lingua tedesca
con esercizi
ISBN 3–19–051575–1

Spanisch:
Gramática esencial del alemán con ejercicios
ISBN 3–19–071575–0

Polnisch:
Gramatyka języka niemieckiego dla
początkujących – Objaśnienia i ćwiczenia
ISBN 3–19–061575–6

Russisch:
Основной курс грамматики
немецкого языка – Объяснения и
упражнения
ISBN 3–19–091575–X

Hueber – Sprachen der Welt